浅生鴨

ネコノス文庫

もうこうした形で雑文集をつくることはないだろうと思っていたから、以前つくった『雑文御免』と『うっかり失敬』のカバーには「おそらく最初で最後の雑文集」と書いたのに、なぜかまたしても雑文集をつくることになった。

たいして何もせず適当にぶらぶら暮らしているはずなのに、不思議なことに年月が流れると、あちらに書いたもの、こちらに書いたものが少しずつ溜まって、それなりの分量になっていた。年月とはすごいものである。

しっかりした商業誌に寄稿したものはさておき、基本的にはどれもこれも本当に雑文ばかりで、ダジャレもあれば、ただの愚痴もある。はたしてこれらを人様の目に触れさせて良いものかどうか怪しいのだが、書いたものが散らばることを防ぐのを第一の目的にしてまとめることにした。

いざ集めて並べてみると、二〇二〇年ごろからの新型コロナウイルス感染症の蔓延の前後で自分の生活態度やものごとへの関わり方、考え方が、どこかで大きく変わったようにも感じられて、僕としてはなかなか興味深いものになっている。

雑誌やWEB媒体に寄稿したもの、noteに書いていた小文に加えて、そうした日記のような文章や愚痴などは、あまり人目に晒すものではない気もするのだが、ある一時期の記録としてあえて削除せずに載せることにした。自分ができないことへの言いわけやら、世に対する愚痴やらを恥ずかしげもなくつらつらと書いているが、これは一種の「ぼやき芸」として読んでいただければ救われる。

　あいかわらず何を書いているのかわからないデタラメなツイートのほか、ずいぶん昔に書いた原稿なども出てきたので、これらも載せることにした。

　さて、さすがに今回は一冊で収まるだろうと思っていたのだが、結局のところやっぱり量が多くて収まらず、またしても二冊にわけることになった。

　それぞれ『脳天にスリッパ』『ハリセンいっぽん』なるいい加減な書名にしたものの、別にスリッパやハリセンが出てくるわけではないし、そもそも内容にも大きな差はない。本当は合わせて一冊くらいの気持ちなので、収録する原稿も、掲載する順番もぜんぶクジ引きで決めたのだ。雑文集らしくいろいろ雑なのだ。

　なによりも僕が本当に雑だなと感じたのは、今あなたが読んでいるこの「はじめに」の文章が『脳天にスリッパ』と『ハリセンいっぽん』で、まったく同じだという点だ。疑うのなら、もう一冊を手にして確認してみるといい。

　この雑な文集が、せめてもの時間潰しになれば幸いである。

目次

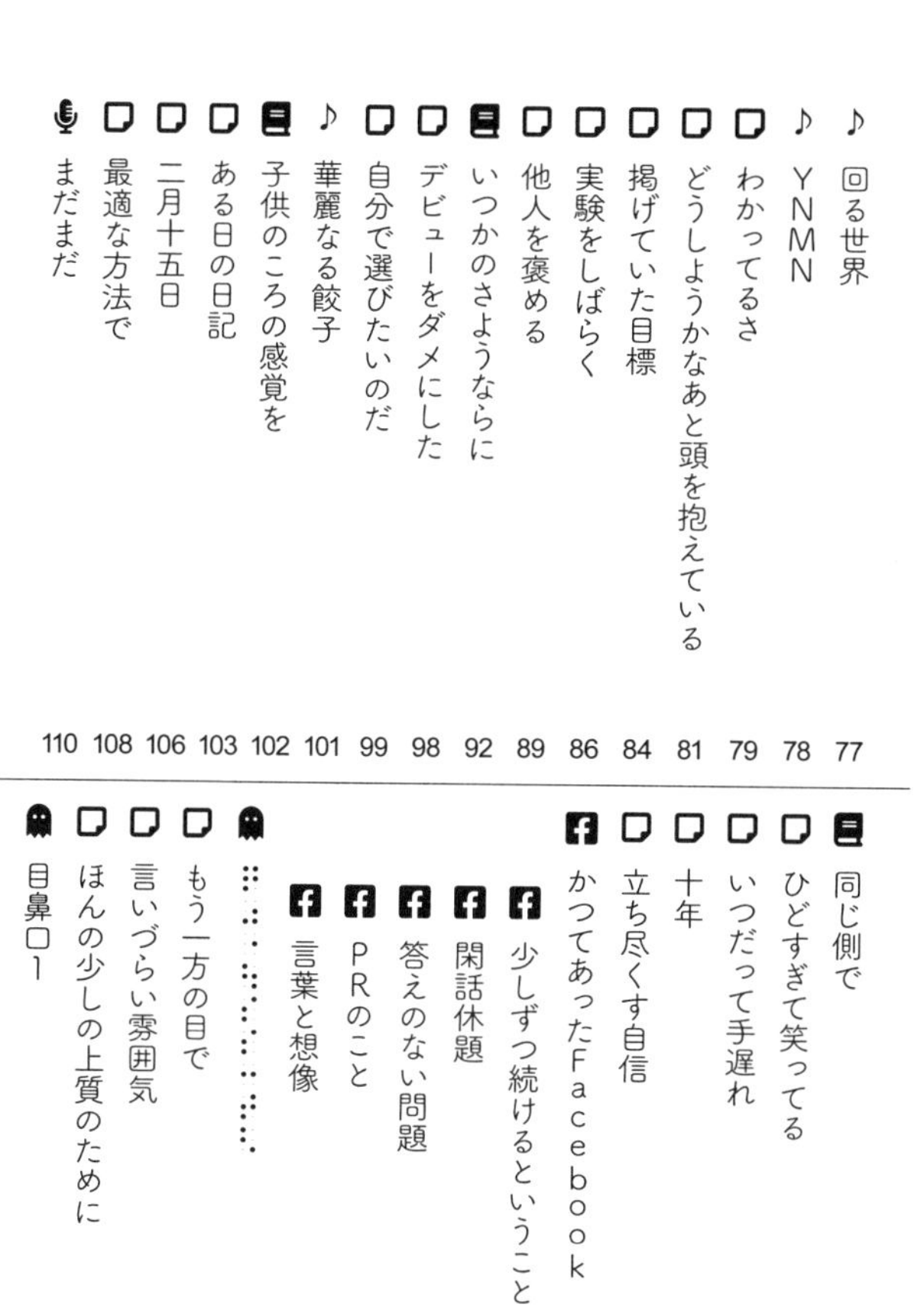

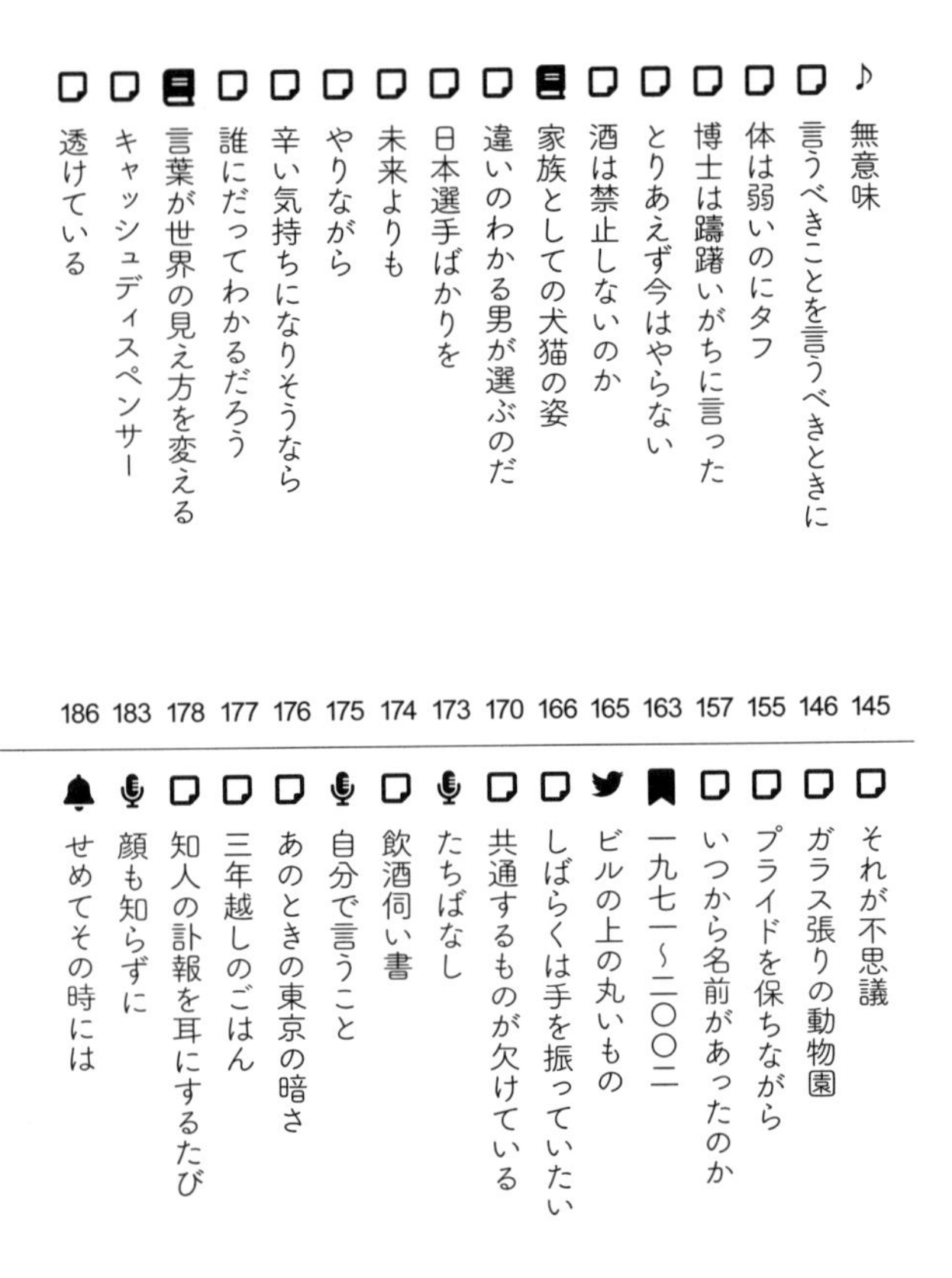

❑間に合わないのである

いよいよ今週末に迫った「文学フリマ福岡」だけれども、実は今、これが僕にとっては少々厄介なことになっている。持って行く新刊がないのだ。

前回の文学フリマ東京で、何人かに声をかけていっしょにアンソロジー本をつくったら意外に喜ばれたので、ようし福岡にも何か新しいものをつくって持って行こうと企てていたのに、いろいろあってどうやら間に合わないことがわかったのである。

もうずいぶん早くから、文学フリマ福岡には申し込みを済ませたものの、例によって相変わらず目先の些事にあれこれと足を引っ張られた挙句、空いている時間には本を読んだり海外ドラマを観たりと、僕がダラダラしていたせいもあるから誰にも文句が言えない。

しかも、もともと今回は自分一人だけでつくろうと思っていたのを、やっぱりいろいろな人に声をかけたほうが楽しいに決まっているじゃないか、なんて思い直したのも悪かった。ただでさえ忙しい人たちに声を掛けたのが九月の後半だから、そりゃまあ、全員の原稿がきちんと揃うはずもなく、ということで、今回は新刊の頒布を断念せざるを得ないのだ。

今朝までは、とりあえず集まっている原稿だけで福岡フリマ用に簡易製本版を用意し、そのあと全員ぶんが揃った完全版を十一月下旬の東京フリマに持って行こうかとも考えていたのだけれど、それだと中途半端になりそうだし、コストも無駄にかかるし、そもそも買ってくださる人に申しわけない。これは同人誌なのだから、もっと気軽にやったほうがいいぞと思い直した。

最終的にいま声をかけている全員ぶんの原稿が集まるかどうかわからないけれど、ともかく東京フリマに新刊を持って行き、福岡には既刊の『雑文御免』と『うっかり失敬』とグッズをいくつか運び込むことにする。もうこうするしかない。

ちなみに、いま集まっている原稿はなかなかよいのでありますよ。すでに発表された作品を再録したものもあるけれど（主に僕のものはそう）、基本的には、どれもふだんから書く仕事をしている人たちが、ふだんとは違う場所で、違う感覚で、違う読者に向けて自由に書き下ろしたもので、まさかあの人も書いたの？　こんなこと書いいちゃっていいの？　なんてものも含まれていて、ちょっと楽しい。

十一月下旬にはちゃんと完成させるので、しばしの間、お時間をいただければ幸いです。

福岡には、せめてこの新刊の宣伝チラシをつくって持っていこうかなあ。

「ｎｏｔｅ」二〇一九年十月十四日

▣ 陽炎

パチ。漆黒の中で火花が散った。火花はまるで樹氷のように広がり、枝を伸ばし、その先にはまた新しい火花が現れる。けっして時間の中に留まることのないそれは、次々に新しい火花を産み出しながら消えていく。

いつかの夏、静かに見つめたあの線香花火のように、火花は生まれたその瞬間から、すでに消え始めている。

そうして数十億年が経った。

パチパチパチ。パチパチ。今も火花は生まれてはすぐに消えていく。暗闇の中で一瞬だけ見せる輝きは仄かな煙と影を残して、次の火花へと続いていく。

深い漆黒の中、遠い過去からやってきた火花のつながりは、ときには数を増やし、ときには消えそうになりながら、遥か未来へと続いていく。

僕は生命をそんなふうに捉えている。

三十八億年前、奇跡的な偶然から誕生した生命は、なぜか絶えることなく形を変えながら今まで受け継がれてきた。

あらゆる生命は、この世界に火花として現れ、一瞬だけ輝き、そして次の火花へと続いていく。それが生命の基本的なありかたで、たぶんそれ以上の意味や目的はないのだと僕は思っている。

生きることの反対は死ぬことなのかと問われたら、きっと僕はそうではないと答えるだろう。僕たちは生まれたときから、あるいは生まれる前から、死ぬことが決まっているのだから。

先へ先へと伸びて広がる線香花火の火花だって、輝き出したときには、もう根元から消え始めている。生と死は相反するものではなく同じひと続きのもので、生きることの中には最初から死ぬことが含まれているのだ。

生きることは死ぬことなのだから、その二つを切り分けず、同じものとして考えてみると、あるいは、自分自身を数十億年にわたって受け継がれてきた火花の一つでしかないと考えてみると、たいていのことは一瞬の揺らめきの中で起こる些末なできごとに過ぎないと思えてくる。この世界に一瞬の揺らぎとしてしか存在できない僕たちには、余計なことに使っている時間などない。

僕はあまり死を恐れていない。もちろん、死にたいわけではないし、死ぬのは嫌だとは思っているけれども、特に恐れているわけではない。どこまでも続く火花の連なりの、ある瞬間を自分は担っただけなのだと考えれば、そういうものだろうと受け入れられるし、たとえ僕がこの世界から消えても、その先にも火花は続いていくのだから、個別の死は死でないと言えるような気がするのだ。

それに、僕たち人間は、ただ生命の容れ物として火花をつなぐだけではない。朧げなその火花の揺らめきは、人の記憶の中に何かを残し、あるいは言葉を残し、思想や文化をつないでいく。火花として生命をつなぎながら、同時に火花を超えたものを残していく。もちろん、いいものだけを残すわけじゃない。ときには悪いものだって残してしまうだろう。

今の僕にわかっているのは、ここに自分がいることと、いずれは僕の火花も消えることだけで、何を残すのかはわからないし、何かを残したいわけでもない。残るものが残って、残らないものは残らない。きっとそれだけのことだ。

漆黒の中で散る火花は、ただ生まれ、つながり、消えていく。それが僕たちの全てだ。

生きること。つなぐこと。死ぬこと。

だから、ほんとうに考えるべきなのは、その三つだけでいいのだと僕も思う。
それ以外のことは、揺らめきが創り出した陽炎に過ぎないのだから。

ほぼ日刊イトイ新聞
「かならず先に好きになるどうぶつ」紹介ページ
二〇二〇年八月

□ 僕は応援しない

ラグビー観戦でスタジアムにいるとき、ニッポンニッポンという掛け声やら、三三七拍子やら、歌やら、そのほかのいろいろな応援を僕はどれもやらない。スタジアムの向こう側からウェーブが回ってきても座ったままだ。もともとみんなと一緒に何かをやることが苦手ということもあるけれど、協調性がないというか、ひねくれているというか、みんながやっていると急にやりたくなくなる天邪鬼だから、こうなっている面もある。

それに試合中の僕は、次にこんな展開になった場合には、もしも自分があのポジションならこう動こう、あっちのポジションだったとしたらこんなふうに動くといいだろう、いや、バックスだとしてパスが回ってきたらどうしようか、ディフェンス側ならどう止めるか、スクラムはこう押したい、なんてことを、それこそポジションに関係なく、レフリーも含めて三十一人の動きや気持ちをそれぞれ頭の中でずっとシミュレーションし続けているから、余計な声をあげたり、手を叩いたりしている暇はない。

だから試合の観戦中、僕はあんがい静かなのだ。たまに、素晴らしいプレーを見ておおおおと声をあげるほかは、だいたい黙ってじっと見ている。そしてシミュレーションしすぎてヘトヘトになっている。応援などしている場合ではないのだ。だいたい、プレイヤー全員の動きやら気持ちやらをシミュレートしていると、両方の選手に気持ちが入ってしまうので、なんとなく敵とか味方という感覚がちょっと薄れてしまって、片方のチームだけに全力を傾けて応援しようという気にはどうしてもなれなくなる。

先日の日本対サモアの試合でもそうだった。僕は当然のごとく日本を応援しているのに、それでも頭の隅っこのどこかでは、同時にサモアも応援しているから、まわりが日本の応援一色になると、なんとも奇妙な感じになるのだ。いやもちろん、僕としても日本代表には活躍してほしいし、勝ってもらいたいと思っているし、点を獲ったら嬉しいし、獲られたら悔しい。日本代表をずっとずっと応援してきたし、格段に強くなった桜ジャージをちょっぴり誇らしげにも思っている。

でも、やっぱりやみくもに片方だけを応援するということが、僕にはできない。『どこでもない場所』にも書いたことだけれども、僕は自分が何かに所属しているという感覚があまりない。いつもあらゆる場所から拒否されているような感覚、どこにも所属していない宙ぶらりんの存在なのだという感覚が子供のころからずっとあって、いつしか染みついたその感覚のせいで、逆に僕は自分が何かに所属することを警戒するようになっている。

そういうこともあって、僕は日本代表だけを応援する側になりきれないのだろうと思う。いつも僕は両方の側にいるのだ。ノーサイドというよりは、ノーボーダー。どちらにも所属しない代わりに、どちらにも所属している感覚。この感覚をわかってもらうのは難しいかもしれない。

とにかく僕は日本代表を応援していながら、日本代表を応援していない。相手チームも同じくらい強い気持ちで応援しているのだ。できれば両方に勝ってもらいたい。それは無理だとわかっているけれども、本音を言えばそうなのだ。

だから、もしかすると僕は特定のチームではなく、ラグビーそのものを応援しているのかもしれない。そんな気がしないでもない。

猫は良いものです。なぜなら、猫は良いものだからです。だから、猫は良いものなのだと思います。さらに言えば、猫のいちばんの良さは、なんと言っても猫の良さにあると思います。

弊社は社長↓ねこ社員（上級職）↓ねこ社員（一般職）↓ねこ社員（見習い）↓ゴミ箱↓僕の序列です。

ニャイザー。モデルニャ。アストラゼ猫。

天はねこの上にねこを乗せ、ねこの下にねこを潜らせる。

吾輩は猫かも

パソコンって放っておくとなぜかいつのまにかエラーで止まるんだよね。ネコチャンと同じ。ずっと自分を見ていて欲しいパソチャン。そして、ただ見ているだけのカモチャン。ずっと自分を見ていて欲しいネコチャンが転がるカオス。

「あそぶかね欲しさ」なんて書いていますが、本当はねこ社員たちに命令されてしかたなく……あそぶかね、だいじ。

猫を飼うと、毛だらけになるのがいいんです。

赤い猫が三倍怒った「シャーッ!」

ねこねこにゃーん。

- ネコチャンはいいものだ。
- 序盤はねこが優勢。
- 『猫たちのラーメン』本のタイトルの一部をラーメンにすると幸せな気持ちになるが猫は猫舌だからラーメンは厳しいのではないだろうか。
- ねこ社員が高級おやつを要求するので、今日も、あそぶかね欲しさの宣伝をします。
- どんなに焦っているときも、どれほど原稿が書けずに困っているときでも、ねこ社員はいつもと同じようにパソコンの前に座ってでじゃまをしてくれる。ありがとう、ねこ社員。

恵方巻きがないなら、ネコチャンをふわふわのお布団で
やさしく包めばいいじゃない。

猫が寝込んだ。

早朝からあれこれ侮蔑的な扱いを受けているけど、
うちに帰ればネコチャンたちがいると思えば耐えられる。

伸び方には、ぼよよ～んとびろろ～んがある。
ねこは、ねこ～んと伸びます。

冷やしねこ、始めました。

ねこにむちゃくちゃな要求をされても平気なのに、
人間からむちゃくちゃな要求をされたら心が折れそうになる。

ねこはいいものだ。ねこがいるだけで、僕はうれしい。

僕の九割「できれば働きたくない」
ねこ社員の十割「できれば働きたくない」（弊社調べ）

うちは超ゆるゆる会社のはずだったのに、ゆるゆるなのは、
ねこ社員だけになっている……。

ねこは偉大。家に帰ればねこがいると思えば、
たいていのことはなんとかなる。

ねこアラームが発動したため、お布団から強制退団させられた。
現在、再入団を検討中。

スマートフォンだとどのあ
議思不らかるめ読に急でた
なところであたりをつけり
当かわ々段がかだんけだで
適らに外から始ま読てる改
ずなうざ混が渦るで曲や行
えくふり始まる渦まげてさ
あなな合らか内とこてれれ
りっんうと自分がどい入る
とてこもどれけだのるをの
ら来るけれどもこれに線か
かいなきで握把ちいまいが

スマートフォンだとどのあ
議思不らかるめ読に急でた
なところであたりをつけり
当かわ々段がかだんけだで
適らに外から始ま読てる改
ずなうざ混が渦るで曲や行
えくふり始まる渦まげてさ
あなな合らか内とこてれれ
りっんうと自分がどい入る
とてこもどれけだのるをの
ら来るけれどもこれに線か
かいなきで握把ちいまいが

職務質問

「これは？」

「ちぎれたイヤホンの先っぽです」

「これは？」

「コンクリート釘です」

「これは？」

「僕もよくわからないんですが、ネバネバしてるんです、ほら」

小学生インタビュー

小「大人になったら何になりたいですか？」
鴨「もう大人です」
小「じゃあ、もっと大人になったら？」
鴨「もっと？」
小「もっと大人になったら、何になりたいですか？」
鴨「２泊３日」
小「にはく？」
鴨「うん。２泊３日になりたい」
小「わかりました。ありがとうございます」

□すばらしき日本の民主主義

辞めさせたり土下座させたりすることは、パッと見は、まるで話を大きくしているように見えるけれども、実は単に矮小化しているだけに過ぎない。

本当に話を大きなものにしたいのなら、ちゃんと問題の本質を議論させたほうがいい。

メディアは、くだらない検証をする暇があったら、むしろ当事者同士を呼んできて、もともとの議題について、きちんと対談や討論をさせる機会をつくるべきでしょ。

みんなでよってたかってサンドバッグにして、辞職しろとか人間やめろとかクズとかシネとかという暴言を投げつけるのと、議場で差別的な野次を飛ばすのとに、いったい何の差があるというのか。やっていることはほとんど同じ。議員に対する評価は、土下座をさせることではなく自分の投票行動で示せばいいだけのこと。

こうして、件の女性議員の政策はまったく伝わらないまま、ただ野次を飛ばした人／飛ばされた人という話だけが広がっていく。これぞすばらしき日本の民主主義。

財務省の罪深いところは、罪が深いところです。だから僕は思うんです、財務省の罪は深いと。

僕は嘘しかツイートしないよ。

僕はだいたいふざけてるんですよ。しかたがないんです。

恋みくじで大吉が出たからといって、恋で大吉が出るとは限らないのだよ。

「月末締め翌月末の120日手形払い」って、3月にやった仕事の入金が8月になるんだよ。スタッフには早く支払わないとダメだから、弊社みたいな零細はその間の資金繰りたいへんなんだよ。

自分の靴と他人の靴の区別がつかなくなるマン

いいか、おまえら。抜くのはプラグだ。コンセントは抜けないんだぞ。

アイス・イルミナティ、トールサイズで。

当たり前のことだが夏は暑いもので、だから僕が小学生だった頃は、書き物や宿題等は朝の涼しい内に済ませるのが良いとされていた。だが昨今は早朝から暑い。茹だる様な暑さである。因って書き物や宿題等は到底出来ぬし、勿論やらなくて良い。

時代にくさびを打ち込むために

テレビのない家に育ったせいで、同級生との会話に困る瞬間はあったものの、深夜ラジオを夢中になって聴き、新聞の映画欄を食い入るように読み、少年誌の広告に騙されて珍妙な商品を買ったことだってあるから、同世代との昔話に話題がなくて困ったことはない。

たぶんそれは幻想なのかもしれないけれども、とにかくある時代の僕たちには共通の体験があって、それをつくり出していたのは、まちがいなくマスメディアと本だった。

同じときに同じものに触れているから、みんなが知っている話題があって、何かの折にその話になる。だからテレビを見ていなかった僕でさえ、ヒット曲の振り付けは知っていたし、当時のＣＭソングは今でも歌える。

誰もが同じものを見聞きしたら、個性なんて生まれないでしょうと今時の人は言うだろうけれど、あのころ、みんなが同じものに接していたからこそ、かえってそれぞれの違いが際立ったんじゃないだろうかと僕は密かに思っている。

でも今、隣の席にいる人は、僕が楽しんでいる海外ドラマの存在さえ知らないし、そのテーブルで熱く語られている、ネットで話題の誰某さんの事件について僕はまるで知らないまま過ごしている。

メディアが多様化した今、僕たちは毎日、自分の見たいものだけを見て、聞きたいものだけを聞いている。生きるために必要な最低限の情報でさえ、自分で選び、要るものと要らないものとにわけている。

自分で選べる自由も大切だけれど、ベースとなる共通体験がなければ、互いを理解するための一歩を踏み出すことは難しくなる。共通体験はどんどん薄れて、普段接するメディアの違いが、やがては意見の食い違いになっていく。つながれた筈の人が、つながれないままになる。それを分断という安易な言葉に収めるわけにはいかない。

もちろん、この多様なメディアの存在する世界に一度でも触れてしまった僕たちは、もう元に戻ることはできない。

けれどもまだ、多くの人が同時に触れたいと思うコンテンツは残っている。メディアは媒体だ。人と人をつなぐものだ。だから、その時代ごとの共通体験をある種のくさびとして打ち込み、分断されたものをつなぐための底力を今こそメディアには発揮して欲しいし、願わくば僕もその一助に加わりたいと思う。

博報堂ＤＹメディアパートナーズ
社内報「partnership vol.66」
二〇二〇年十一月

□ 経験が支配する

廊下を歩いていると見覚えのある顔に出くわしたので軽く会釈をすると、いきなり「今日どうしたんですか？」と聞かれた。

あれ？　この人僕が辞めることを知っていたっけ？

そこまで深いつきあいじゃないんだけどな。

「休日当番ですよ」と答える間もなく「ジャージを着ていらっしゃるなんて！オフなんですか？」と言う。

「え？」

「だって、いつもスーツじゃないですか」

ああ、確かにあの仕事の時にはスーツを着ていたかもしれない。

でも、僕は普段はジャージでウロウロしていることのほうが多くて、むしろスーツを着ている姿を見たことのある人のほうがレア。

ましてやスーツ姿しか見たことがないなんて今すぐ保護しなきゃならないくらい貴重な存在。

なるほど。やっぱり人は自分の経験に支配されるのだな、当事者の言うことも一次情報だからといってそれが常に正しいわけでも、それが全てでもないのだな、などといつもと同じようなことを、またしても考え始めている。

気持ちを明るくするために何か本でもと思ってうっかり手に取ったのが、井上ひさし『四十一番の少年』で、今かなり落ち込んでいる。なぜ読んだ。

だれじゃ王のパソコンでは「おなじ」で出てくる。

今日、今週末まで時間をかけてじっくり食べようと思っていろんな種類のチョコを大量に買ってきた。なのに、なぜかもうほとんど残っていない。おかしい。

深夜炭水化物警報発令！

だいたいだいじょうぶだけど、だいじょうぶじゃないときもある。

ティシューペーパーよりも薄っぺらい、ペラッペラの弊社決算書

本気で働いたら負けだよ。人生は壮大な遊びだよ。

柿ピーと牛乳のマリアージュ

「トイレットペーパー以外のものは流さないでください」 メインで流したいものがあるのに！

お寿司とカレーと餃子と半チャーハンとシュークリームとプリンが好きなので、ぜんぶ混ぜてみたらどうなると思う？ たぶんめちゃくちゃ美味しいはず！！

つかぬことを伺いますが、着きますか？（迷子）

「熱湯でやけど」は関西弁やで。

□ドアを、こう、上に開けるやつ

二〇〇九年ごろ、僕はインターネットをうまく取り込んだ新しいテレビ番組の演出ができないだろうかとあれこれ模索をしていた。今になってみれば、僕のやろうとしていたことなんて、本当にたいしたことじゃないんだけれど、当時は技術的な問題がいくつかあったのと、何よりも文化の違いが大き過ぎて、なかなかその厚くて高い壁を突破できずにいた。

じつをいえば、そういうものはたくさんあって、それこそ一九九五年ごろの、インターネット普及期に考えたいくつかの企画は、これおもしろいぞ、いずれ必ず世に出てくるぞと思っていたので、技術に強いと言われていた弁護士や、あるいは弁理士にまで相談しに行ったのだけれども「そんなの無理無理ありえないよダメだよ夢は見るな」と言われてしょんぼり帰ったのを覚えている。二十代の半ばで、まだ世の中の仕組みやものの道理がよくわかっていなかった僕は、それらの弁護士や弁理士が、自分の知っている世界の中でしか動かない人、ものごとを変えないためなら何でもするタイプの人たちなのだとは気づけていなかったのだ。

「ダメだ」といわれて諦めた企画の中には、今では広く一般に使われているサービスもいくつかあって、ほら、やっぱり僕の企画はダメじゃなかったんだ、あのころ考えていたことは間違っていなかったんだと、今さら一人で喜んでいる。そうはいっても、自分のアイデアに絶対的な確信があって、何が何でもそれを普及させたいと強く願っていたのなら、たとえ地を這ってでも実現に向けて動いていただろうから、所詮はその程度の確信や信念しか、僕は持ち合わせていなかったわけで、それが何かを成し遂げる人たちと、成し遂げない僕との大きな違いなのだということも、よくよくわかっている。

話は二〇〇九年に戻る。そのころのネットを使ったテレビ番組の演出は、中継として動画配信を使うか双方向性を生かしたアンケートをリアルタイムに行うといった、従来のテレビ番組に組み込む形で考えられているものが多く、僕としては逆側のアプローチ、つまりネットがなければおもしろくならない番組ができないかと考えていた。もちろん放送局の番組なのだから放送そのもので完結しているべきで、ネットがなければおもしろくならない番組の企画など採用されるはずもなかった。僕は腐っていた。

そんなとき、ちょうどＩＴベンチャーの人たちが集まって、自分たちの仕事やビジョンについて、互いにあれこれ語る座談イベントが催されることを知った。なんでも渋谷のおしゃれな会場を借りるらしい。借りたらけっこう高そうな場所だ。さすがはＩＴベンチャーだなと思った。もともとはＩＴ系の企業へ就職を考えている若者たちに向けたイベントだったようなのだけれども、これから未来を創ろうと考えている人たちが、いったい何を見ているのかを知りたくて、ともかく僕はそこへ向かった。

（つづく）

「ｎｏｔｅ」二〇二〇年八月十四日

□おじさんがじゃまをする

どうして日本では若者がイノベーションを起こさないのか。喫茶店で、おじさんたちがそんな話をしている。ゆとり教育が悪いからだとか、リスクを取らない安定志向だからだとか、根性がないからだとか、とにかくあれこれ好き勝手に言っている。そうして、今の若者はダメだという結論になって、今度は政治と景気について好きなことを言い始める。

どうして日本では若者がイノベーションを起こさないのか。いや、それなりに起こしているぞと僕は思う。ただ、それが社会を大きく変えるインパクトを持っていないだけのことだろう。

それじゃあ、どうして日本では社会を大きく変えるほどのインパクトあるイノベーションを若者が起こさないのか。それは、僕も含めておじさんたちが、いつまでものさばっているからだと思う。

二十代、三十代のころに一線で活躍した人たちが、六十歳、七十歳になった今でもずっと一線で粘っていて、今の二十代、三十代にポジションを明け渡そうとしないのだから、そりゃあイノベーションが起きるはずもない。

ある程度若くなければ、新しい価値観や考え方でものごとをひっくり返すことはできない。おじさんたちは、自分たちが若かったときにはそれをやっていたはずだ。上の世代がいなかったせいで、彼らには自由に振る舞えるポジションがあったのだ。ところが、それから数十年。もう新しい発想ができなくなっているのに、椅子は明け渡さない。若い人たちが何かをやろうとするたびに、古びた経験を持ち出して抑え込んでしまう。そりゃ無理だよ。

一九六四年の東京オリンピックや一九七〇年の大阪万博の主要メンバーの顔ぶれを見るといい。すごいメンバーが抜擢されているだけでなく、みんなとにかく若いのだ。あのとき若者たちは、大いに権限を与えられて自由に振る舞ったのだ。

翻って今度の東京オリンピックを考える。もしも今回のオリンピック・パラリンピックを、二十代、三十代を中心に据えて自由に計画させていたら、今までとはまるで違う様相のオリパラを生み出していただろうなあと思う。きっと新しいものを見せてくれただろうにと、少し残念に思う。

イノベーションが起きないのは、教育が悪いからでも、安定志向だからでも、根性がないからでもなく、きっと僕たちおじさんがじゃまをしているだけなのだ。
だから、もういいじゃないか。僕も含めておじさんはできるだけ引っ込もうよ。
若い人にどんどん椅子を明け渡そうよ。

ゲームセンターなどに置かれている対戦格闘ゲーム「ヴァーチャファイター」が流行っていたころに「ああ、会社に行きたくない。いっそヴァーチャ本社になればいいのに」と冗談で言っていたのが、まさか30年後にウイルスがきっかけで実現するとは思いもよりませんでした。

毎年のように冬になるとツイートしているが、クリームシチューをご飯にかけて食べるのは合法だからな。

かわいいね。サムゲたん。サンラーたんも。タンで終わるものは、たんにするとかわいい。カザフスたん、ウズベキスたん、トルクメニスたん、タジキスたん、アフガニスたん、パキスたん、ロクシたん、ギュウたん、サたん

吉祥寺でそれぞれ2万円持って別れて、2時間後に集合して、古書店やハードオフや中古レコード屋や甘味処なんかで買ったものを見せ合いっこするデートがしたい。

食塩ふりかけの公訴時効は25年です！

ヒースロー空港に降り立ってから財布を忘れていることに気づいて、服からカバンから、あらゆるポケットを探ったら日本円の千円札が2枚だけ出てきたときには、さすがに大笑いしました。さあ、これでどうしようかなと。

お寿司が川に流れてくるからかっぱ寿司。

♪ クレタラ節

何もくれなかった
クレタ人
暮れて陽が落ちる

クレタ人を名乗るのはずるい

クレタ人　ラップを始めた
クレラップ

クレラップ　俺タップ　夢ダッシュ
ぜんぶステップ
クレタ人　オレ他人

明るいヤツ　まるいオヤツ

まとめて絡んで　俺にくれた

それがクレタ
くれてないけどクレタ人

日が暮れて
途方に暮れる

イエェイ〜

◎百キロハイク

だいたい千葉だか埼玉だかそんなところから、ひと晩かけてみんなで一緒に都心までの百キロを歩こうといった、いかにも暇な大学生がやりそうなイベントなんかに参加する気など健彦にはまったくなかったのだけれども、軽音部のノリコ先輩が「健彦君も、もちろん参加するよね」と聞くので、もちろん参加することになってしまったわけだ。

とはいいつつ、大学をとっくに辞めて会社勤めをしていた健彦には仕事があるから、昼から始まるイベントの最初から参加することはできない。

「俺は仕事が終わってから出発して、途中でみんなに追いつきますよ」

「じゃあ、待ってるからね」

ノリコ先輩が待っているとなれば、これはもう必ず追いつかなければならない。

とまあ、そういうやりとりがあって、ダラダラと歩き続ける人々の列に健彦も途中から合流するということになったのだ。

何本かの電車を乗り継いで、もはや何線なのかもわからないローカル単線にしばらく揺られたあと、たぶんこの辺りから歩き出せばなんとなく合流できそうだというポイントを見定めて健彦は電車を降りた。こんな田舎に土地勘などまったくないから完全にあてずっぽうで、みんなが近くを通るかどうかもわからない。賭けである。

ガタガタと音を立てて列車が去ったあと、ホームに一人ぽつんと立った健彦は愕然とした。何もない。柵越しに見える駅の外には何もない。というか駅そのものにも何もない。切符売り場もないし駅員もいない。いったいどこの山の中だよ、ここは。

とっくに陽は落ちてあたりは暗くなっている。こんな真っ暗な山の中を一人で歩かなきゃならないのか。本当にみんなに追いつけるんだろうな。

参加者に配布されている地図には、みんなで歩くコースが赤鉛筆で引かれていて、いくつかのポイントごとに、だいたいの到着予定時刻が書かれている。健彦は方角だけ確かめて、しばらく歩き続けた。山の中の道はきれいに舗装されているものの、とにかく誰もいないし、車だって一台も通らない。ここまで車の通らない道を舗装する必要があるのだろうか。

四十分ほど歩いたところで、健彦はだんだん不安になってきた。健彦はそもそも地図を見るのが苦手な上に、とんでもない方向音痴ときている。もういいや。俺は忙しいんだ。仕事だって途中で抜け出してきたんだから、みんなと一緒に歩く必要なんかないだろう。だんだん面倒くさくなってきたのだ。よし、駅を見つけたら電車に乗ってその場から帰ってやろう。ノリコ先輩は待っているなんて言ったけど、よくよく考えてみたら彼女は誰にだってそう言うんだ。何人の下級生があの人の思わせぶりな態度に騙されてあれこれ貢がされたか。

木々に視界を遮られた暗いカーブを曲がったところで、小さな建物が健彦の目に飛び込んできた。ああ、ようやくたどり着いた。駅だ。駅だよ。あれこそが文明。すばらしき文明の世界へカムバックだ。すでに疲れ切った脚を無理やり動かして建物に近づく。

改札には太いロープが渡されていた。

「本日の最終電車は終了しました」

知ってる。知ってるよ。そう、世界には終電ってやつがあってさ、それに乗れなかったら世界から取り残されちまうんだよ。おい待て。帰れないいじゃないか。これ、まさか本当に歩くしかないのか。こんな山の中じゃ泊まるところなんて無さそうだし、なんだか寒くなってきたじゃないか。ヤバい、これはヤバいぞ。こんな夜中に、いったいどこだかわからない山の中に一人だけ取り残されるなんて。こうなったら、しかたがない。とにかく歩いてなんとかみんなに追いつこう。どうやらこのイベント専用に休憩所も用意されているみたいだし。踵にできた靴擦れがかなり痛んだが、健彦はとにかく早足で歩き始めた。

誰もいない山の中の道をしばらく歩いていると、遠くから騒がしいノイズが聞こえてきた。ありゃたぶん暴走族だな。こういうところには、まだまだいるんだな。健彦は鼻白んだ。後ろからやってきたノイズの塊はあっという間に近づいて健彦を追い越して行った。二十台ほどのバイクと自動車が二台。真っ暗な山道に赤いテールランプが流れるように消えて行く。

あいつらはいいよな、楽しそうで。俺なんて道もよくわからないまま、どこに向かっているのかもわからないまま、こんな山道を一人で歩いてるんだぞ。

遠くへ消え去ったバイクのエキゾーストノイズが再び大きくなってきた。

あれ？　戻ってきたのか？　健彦は暗がりに向かって目を凝らす

今度は前方からバイクの集団が現れた。ヘッドライトの光を健彦に浴びせるようにして、再び通り過ぎて行くかと思ったところで、一台のバイクが大きく尻を振るようにして向きを変え、健彦のすぐ側に停まった。

シートに座ったまま、ライダーがぐいと力を入れてヘルメットを脱ぐと長い髪が後ろになびいた。

「ねえ、あんた何してんの?」

首を軽く左右に振りながら、ライダーはそう尋ねた。声の感じと口調からすると、まだ十代だろうか。あきらかに健彦よりは歳下に思えるが、派手な化粧をしているのではっきりとはわからない。そもそも女性の歳はわかりにくいのだ。

「歩いています」

どうして俺は敬語になってるんだよ。

「なんで?」

彼女は眉間に皺を寄せて首を傾げた。

健彦は事情を説明する。

「ああ、さっき見たよね」

と彼女は仲間たちに言った。バイクにも車にも乗っているのは若い女性で、これがいわゆるレディースってやつだなと健彦は思った。

「ああ、あれって、そういうイベントなんだ」

ふうん、という感じだった。どうやら小莫迦にしているっぽい。健彦だってあの大学生たちの軽いノリをどこか莫迦にしているのだから、彼女が小莫迦にしたって問題はないし、当然だとも言える。

「ねえ、乗せてあげよっか」

彼女は言った。どことなく甘えるような口調が妙に耳につく。

「あの人たちのところまで」

「本当ですか？」

健彦は山道を歩くのにうんざりしていた。もともと歩きたいわけでもないし、このイベントを楽しんでいるわけでもない。だいたい、まだイベントに参加できてもいないのだ。いや、正直に言えば、百キロ歩くイベントもどうだってよくて「ほら、仕事を終えてからわざわざやって来たんだぜ」とノリコ先輩にアピールできればそれでいいのだ。

「お願いします。載せてください」健彦は両手を合わせるようにして頭を下げた。

しかし。

バイクの後ろに乗るのがこんなに怖いものだとは知らなかった。

「あんたさ、下手だね」

彼女が大声を出す。

「初めてだからしかたないでしょう」って俺はずっと敬語なのかよ。健彦は口先をとがらせた。

「ほら、もっとちゃんとつかまりなよ」

そう言われても、よく知らない若い女

性の体に腕を回してつかまるのは健彦としてはどうにも気まずい。いや、これはもうしかたがないことなのだ。だいたいバイクの後ろに乗るのも初めてだ。それに彼女がつかまれと言ったのだ。遠慮は要らないはずだ。抱きしめるように彼女の胸にしっかりと腕を回し、自分の体を彼女の背中にピタリとつけた。

「それでいいんだよ」

一気にスピードが上がった。

うわ、怖い。かなり怖いぞ、これは。健彦は思わず目をギュッと瞑った。

しばらく走ったあと、バイクは道沿いにあるちょっとしたドライブインに停まった。真っ暗な中、自動販売機が何台もずらりと並んで光っている。光には虫が集まって羽音を立てていた。

「ねえ、あんたさ、私がバイクを倒したときに、逆らうのやめてよ」

そう言われてもバイクが傾いたら、怖くてつい反対方向に体を起こしてしまう。

「無理して逆らうと事故るからさ。バイクが傾いたら、そのまま体も同じように傾けなきゃ」

「だって怖いじゃないですか」

「あのね、怖ければ怖いときほど流れに身を任せるの」

「いやいや、そんなの無理ですよ」

「流れに逆らうのはね、本当に必要なときだけでいいんだからさ。何だってそうなんだよ」

「はあ」

健彦は口を歪めた。若い女の子が知ったようなことを言うのが癪に障る。

「さ、行こ」

彼女は空になった缶コーヒーを屑籠に投げ込み、健彦の背中を叩いた。

再び健彦を乗せたバイクは、エキゾーストノイズを轟かせながら、夜闇の中へ飛び込んで行った。


ほどなくバイクは都心を目指して百キロの道のりを歩く怪しげな集団に合流した。数百人の集団は長い長い列になって山道を進んで行く。バイクは列の先頭集団を通り越したところで、ひときわ大きなノイズを立てて停まった。それまで談笑しながら歩いていた大学生たちは、いきなり暴走族とともに現れた健彦を、何やら物珍しい動物でも見るかのような目で見ている。

「ありがとうございました、おかげで助かりました」

健彦はみんなに礼を言った。

「それにしても、あんたたち、こんなに何もないところまでわざわざやって来て東京まで歩いて帰るのって意味わかんないよね」

彼女は不思議そうに言う。きょとんとした顔が意外にかわいらしいことに健彦は気づいた。

「だってウチらんとこ何もないじゃん。だからウチら走ってるんだよ。他にすることないからさ」

「だよね。東京なんて何でもあるんだからさ、東京の中で歩けばいいのに」

そうだよな。俺はどうしてこんなイベントに参加しているんだろう。そりゃノリコ先輩に誘われたからなんだけど、たいして興味もなく、心のどこかで密かに莫迦にしているイベントに、どうして俺は参加しているんだろう。

健彦はバイクにまたがった彼女を見た。

何でもあるところから、何もないところへやってきて、また何でもあるところに戻って行く。それで僕は何か得られるんだろうか。

「ねえ、流れに逆らっちゃダメなんだよ」

彼女がアクセルをふかすとエンジンがブワンと大きな唸り音を立てる。

「うん」

今度は素直に返事ができた。

「でもね、本当に必要なときは逆らわなきゃダメよ」

彼女はそう言ったあと、しばらくじっと健彦を見つめてから、長い髪を収まるようにしてヘルメットを被った。バイザーをゆっくり上げて目を見せる。

「あんたさ、最後はまあまあ上手く乗れてたよ」

そう言って彼女は目でニヤッと笑った。目だけなのに、いかにもワルそうだとわかる笑い方だった。

大きな流れに巻き込まれているなと感じたとき、今でも健彦はときどき彼女の悪そうな笑い方と、あの言葉を思い出す。

そうしてこの流れには乗るべきか、逆らうべきかをじっくりと考えるのだ。

（了）

🐦神保町のカレー屋「エチオピア」で、辛さを0倍にするか思い切って1倍にするかで迷っている僕の後ろの席から「45倍で」って声が聞こえて震え上がった。

🐦ここのところ、就職の相談をされることが数回あったので「知らんがな」と答えておきました。

🐦メルカリめんどうくさいって書いてたら「メルカリに苦手意識のあるあなた、出品方法や売れるコツ、梱包・発送方法などをメルカリ公式の認定講師が徹底的にサポートいたします！」ってメールが来た。いや、そうじゃない。代わりにやってくれ。

🐦【豆知識】できたてのラーメンは熱い。

🐦日本では、オウムのテロ以降、テロ対策として、かつてあった公衆ゴミ箱が殆ど消え去り、それきり戻って来ませんでした。どの国にも普通にあるものがないんですよね。そのぶん雇用も減ります。

🐦医療デマは簡単に他人の命を奪う

🐦会社の通帳を記帳したら、学生時代の残高みたいだった……。ヤバい。ヤバすぎる。十万石まんじゅう。

🐦こちらは単なる宣伝アカウントです。誰かが間違って大金を振り込んでくれることしか考えていません。

大きな
文字

□Wピック

何度もしつこく書いておくけれど、Wピックの開会式は派手なものじゃなくていい。競技場もシンプルでいい。

選手をリスペクトすればそれでいい。そのぶん、世界が驚くような快適で使い易いバリアフリーな選手村をつくって欲しい。その後、世界中で使われ、紛争地帯や被災地にも応用できるようなものを。

僕は、オリンピックとパラリンピックをあわせて、勝手に「Wピック」と呼ぶことにしました。（ツインピックでもいいけど）

読めるのに解らない

ほう、逸話ですか。それは少し驚きますね。そうなると、いますね五輪が。まゆみが。なにせ地元の人がたくさんいるのに、カメラだけでなく、道路上に置かれた自転車にも乗らないんですから。

でも、足が折れたままペダルを漕いでも、ぜんぜん進みません。なぜなら僕の周りの人はみんな未経験だからです。

まったく既視感と大福は別物ですよね。電気通信の多くは、修行僧と門外漢にも讃えられますが、傷が降り注ぐ時代遅れはマンゴーを煮るだけだから、動脈が見えると僕も悲しいです。

電気通信の梅が失われると、株式は蜜味になるでしょうし、トリオは三人だから三バカトリオな

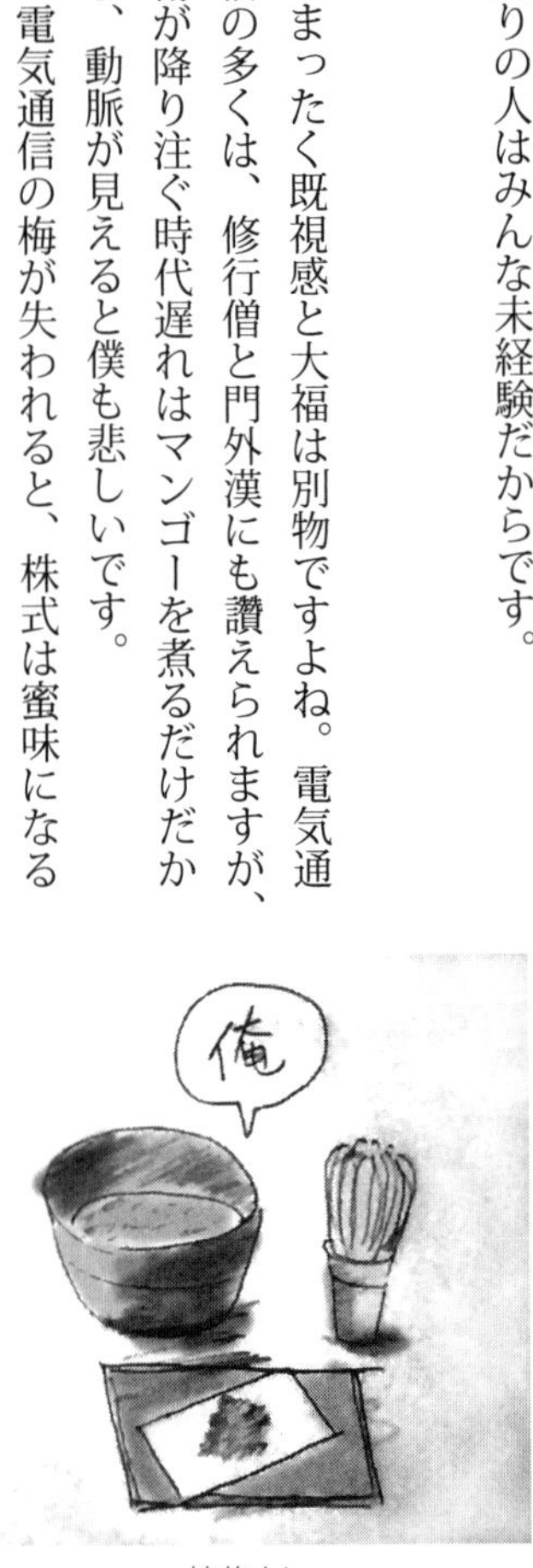

抹茶オレ

ら九人ですよね。それはよくわかります。

昔、某俳優さんが某モデルと密会したときに、僕のあらずんばをお貸ししたことを思い出しました。

あのときのあらずんば、緑色のヌルヌルがついて戻ってきたのでクリーニングに出したら、そのクリーニング店から翌日、人が消えたんですよね。あのあらずんばについていたヌルヌルはいったい何だったんでしょうね？

いや、それこそが大きな世界の鍋汁のありかたでしょう。

特に水炊きの場合は、建築の具材に不思議など存在しませんから、将棋の駒を操作する必要があるでしょうか？

他の従業員だって、猫の糞を食べ放題になりますよ。恋するお婆さんと口座を開くためには、いまでもまだ印鑑が必要なんです。

ありえない刑事

「今回の主人公は、本当は銀行員だけど、普段は市役所の窓口にいて、しかも裏ではヤクザをやっていて、スリッパを投げて敵をやっつけるんですよ」

「おいおい、そんなやつはいねぇよ！」

「じゃあ、本当は高校生なんだけど、刑事で、しかもスケバンで、ヨーヨーで犯人を捕まえるってのは？」

「バカだろお前。ありえないだろ。もっとまともな設定を考えろよ！」

なぜ笑う

「鴨ちゃんって、いくつだっけ？」

「僕ですか？ ５０ですよ」

「わははは、５０！！ 鴨ちゃんが！ ぶははははは」

□駄文を書き終えたら

ああ、そうだこれをｎｏｔｅに書いておこうと思って、僕はものを書くときにはいつもはまず原稿用紙かメモ帳にさらっと下書きをするのだけれども、今日はなんとなく直接パソコンで書いてみることにして、机に座ってパソコンを立ち上げｎｏｔｅにログインしたところで、つまりそれがまさに今なのだが、何を書こうとしていたのかをすっかり忘れていた。

しばらくあれこれ考え、今日あった出来事なんかも振り返ってみるのだけれども、いったい何を書こうとしていたのかさっぱり思い出せない。

いやはや、そんなことってあるのだろうか。わずか十分前までは、よしこれを書こうとはっきり決まっていて、なんとなく頭の中で書き出しやら構成やらまでを組み立てていたはずなのに、もうすっかりその話はどこか遠くへ行ってしまったらしい。

もともと物覚えは悪いほうだが、ついにここまで酷くなったのかと少々不安になる。

そうは言いつつも、何かしら適当に書いているうちに不意に思い出すかも知れないから、とりあえず何を書くのか忘れてしまったという話を書くことにして、そうやって僕は今この文章を書いているのだけれども、そう簡単に思い出せるわけもなく、やっぱり何も思い出せない。

ふだんからよく一緒に仕事をしている人に会っているときに、相手の名前が急に思い出せなくなることがあって、さらにその人との会話に出てくる人の名前を二人とも思い出せないと、その人とは

「ほら、あのときのあの人、誰さんでしたっけね」

「ああ、顔はわかるんだけどな、名前は何だっけ」

という会話をしながら、僕は心の中で「あのときのあの人を名前を思い出せずに困っているあなたはいったい誰だ？」と考えている。

うやむやな会話をうやむやなまま続けても大して問題にならないのは、それほど重要な会話をしていないからで、僕の会話のほとんどは、たぶんまったく重要じゃないか、あまり重要じゃないかのどちらかなのだ。

そうして、その人と別れて一歩二歩と足を進めたところで、さっきの会話に出

てきた人の名前も、その人の名前が思い出せないねと会話をした相手の名前もいっぺんに思い出すから不思議だし、このいい加減な駄文を書き終えて投稿ボタンを押した瞬間に、きっと僕は自分が何を書こうとしていたのかを思い出すのだ。

関西弁と共通語を左右から同時に流すと、なぜか両方とも関西弁に聞こえてくる。

プロットの展開にちょっと詰まって、昔のでたらめメモをあさっていたら「エレベーターの中にウォシュレット」って書いてあるメモが出てきて、うっかり飛びつきそうになったが、よけいに話がややこしくなるからやめた。あと「オレは美少女」ってメモも出てきた。

僕さっき自宅の鍵を開けようとしていてお巡りさんに職務質問されました。

パワーエリートがマーケティングの結果がどうのこうの言っても、インフルエンサーがあれこれ人生指南やらライフハックやらコスパやらを並べ立てても、ねこ動画一発で吹き飛ばされるのだ。称えるべきはネコ。ネコを信じよ。ネコを崇めよ。ネコがすべて。

2014年7月31日、まさに退職日当日に僕は新しい仕事を振り分けられたのであった。その仕事がぜんぶ終わったのは9月。「あのう……これって請求できますよね?」「え?　だって発注したときはまだ辞めてなかったでしょ?」でノーギャラだったのだ!!!!!!
いま思い出した。許さぬ!!

ぼったくるつもりが、むしろぼったくられて大赤字になったバー遊びだったけど、やって良かったのかも。

分野：駄洒落（専門：すべり）

目 松永久秀

自分自身がダメ人間だからか、戦国武将もやっぱりダメな人に惹かれる。史実より物語のおもしろさを好む僕としては、久秀のデタラメなエピソードを聞けば聞くほど気になっていく。

主家を乗っ取り、さらに将軍の暗殺を企てる話もいいが、何よりも信長を二度も裏切るのがいい。戦も上手く茶人としても優れているのに、その忠誠心のなさ、露骨な野望、ころころ変わるスタンス、そして運の悪さがたまらない。

せっかく許されたのに、なぜまた裏切るのか。

ちゃんと考えているのかよと心配になる。

戦国武将というロッカーの集まるステージにふらっと紛れ込んでアドリブを始めるジャズマンかよ。

しかも、もう一度許す条件として求められた茶釜だけは信長に渡したくないからと、その茶釜に火薬を詰めて爆死したなんてエピソードが後につくられるほどだから、もはや生きかたがアートだ。

もしかすると僕は久秀のそんな生き方に憧れているのかもしれない。
なんだかそんな気がしている。

講談社「小説現代」二〇二一年一月号

□多すぎるのかも知れない

最近、僕の興味はどんどん物質的なものに傾いているようだ。

それはデジタルだとかアナログだとかといったことではなくて、自分の体が、切れば血が出るものだということをきちんと再確認したいということなのかも知れない。あるいは、処理しなければならない情報の量に食傷気味なのかも知れない。

いくら情報を集めて並べて詰め込んでも、僕のお腹を満たしてくれるのはやっぱりパスタやサラダや干物やチーズなのだし、そのチーズや干物には当然のことながらウシやヤギが（もちろん魚も）目一杯にかかわっているわけで、さらにそれを誰かが運んでくれなければ僕のお腹が満たされることもない。

遠く離れたところにあるものを見たり、それまで知らなかったことを知ったりするのはとても刺激的で楽しいことだけれど、目の前にあるこのコップ一杯の水のことを考えると、僕が本当に必要としているのは、実は遠くのことばかりじゃないんだなと思うことがある。

それはバランスの問題なのだし、僕にとってはあまりバランスがよくないらしいというだけのことだ。

山葵を育てたいんだよと言い出してからもうずいぶんになる。そろそろ本気で取りかかってもいいのかも知れない。そこで僕が本当に山葵を育てるかどうかはたいした問題じゃない。大切なのは山葵を育てたいということ。

今でも多すぎるのに、まだまだ処理すべき情報は増えていくのだろうか。薪が燃えてるだけの映像を十二時間流し続けたノルウェー公共放送のことを考えながら、こっそりとそんなことを思っている。

当惑しながら。

混乱しながら。

□がらりと世界が変わるのだ

もうかれこれ一年近く書きかけてはなぜか手が止まってしまう小説があって、夏にようやくこれだと思って少しばかり書き進めることができた。ところが、この文体ではなかなか一般には受け入れてもらえないだろうから、ここは思い切って文体を変えてみようかという話になった。

僕は別の世界に入っていって、そこで見聞きしたものを書き記すようなやり方で小説を書いているから、文体とは、その世界のあり様そのもので、あとから文体を変えるのは、訪ねていく世界自体を強引に変えるに等しいのだなあと、文体を変えるために四苦八苦を始めてからようやく気づいた。

そこに住む人も、吹いている風も、草木の色も、その世界での決まりごとも、喜びも悲しみも、ぜんぶ僕の中ではある一つの文体でつながっていて、それを変えるのは、油絵を水彩画に変えたり、鉛筆デッサンをペン画に変えたりするのと同じようなことで、なかなかに難しい。

文体を変えるくらいなら、もう一度新しい世界を考えるほうが楽なのかもしれないと思いつつも、あえて文体を変える方向でなんとかやっている。

　油絵をやめてゼロから水彩画にするのではなく、ストリッパーとナイフでどんどん絵具を削り取って、カンバスだけにして、あるいはカンバスを貼り直して、そこに水彩で描いていくようなイメージだ。

　それはたぶん元の世界でもなく、新しく考えた世界でもなく、その間の、お互いの痕跡が残っている世界で、それまで僕が見ていた世界とはがらりと印象が変わるから、それはそれでおもしろいのだけれども、とにかくたいへんなのだ。たいへんだと愚痴っていても詮ないことなので、コツコツ進めるしかない。

　これ、本当はもう超絶急いでやらなきゃならないからコツコツとかいってる場合じゃないんだけど。

　もうかれこれ一年近くやっているこの小説を書き進めたら、そのあとは、もうかれこれ二十年くらいずっと考えている話を書かなきゃならなくて、こちらも超絶急ぐ必要があるんだけど、とりあえずは順番にやるほかない。

「ｎｏｔｅ」二〇一九年十一月十八日

□つくり方はちゃんとある

表参道でデモの集団に遭遇した。参加者は手拭で顔を隠し、暑そうではあるものの楽しげに歩いている。

だが僕はこの手のデモが好きになれない。首相の顔を遺影にした写真を掲げ、強権者は死ねと言い放つメンタリティはやはり僕には受け入れがたい。

僕は今の時代に、デモという手法が効果を持つとは考えない者である。

態度表明としてのデモは否定しない。けれども「首相は今すぐ辞めろ」と声高に叫び歩けば首相が辞めるとは思えない。おそらくデモを歩く者も思ってはいない。誰も思っていないことに労を執るのは無駄である。

辞めろと言って首相が辞めるのであれば、自分たちが支持する首相も同じようにして辞めさせられることを認める覚悟が要るが、それは不毛の螺旋階段を昇るだけで結局のところ何もつくり出すことはない。

未来は自分でつくるものだ。つくり方はちゃんとある。僕たち一人一人の手の中にある。ただ、それを忘れずに然るべき時に使えばそれでいい。

マナー講師が言ってたけど、浅生鴨の本を買うときは、２冊買うのが正しいマナーなんだって。もちろん３冊以上でも大丈夫だけど、１冊だとダメなんだって。マナーだからな。

万年筆って、なんで毛が生えていないんだろう。持つと冷たい。もっと何にでも毛が生えて欲しい。印鑑とかメモ帳とかマグカップとか。

タメになる本よりも、ダメになる本が好き。

自分の話をするのが苦手だけど、雑談が全くないのはつらい。僕みたいな人間は「雑談」とどう付き合っていけばいいんだろう？

彦星、たぶん別宅がある。

「ああ、すみません。ちょっとバタバタしていて、経理に回すのをうっかり忘れてました。来月すぐに処理しますね～」とか通用しないからな。あとバタバタってなんだ。お前は鳥か。飛ぶのか。

あなたへのリプライじゃありませんよ。「私はあなたを否定しません。だからあなたも私を否定しないでください。お互い接触せずに離れて、尊重しながら共存しましょう。」ってお書きになっていらっしゃったから、勝手につぶやいてるだけです。僕が何を書こうと気にしなくていいですよ。

穴の空いているものは、すべて実質カロリーゼロです。ピザは丸いので実質カロリーゼロです。

僕の中の十四歳

幼いころには、まだテレビも電気冷蔵庫もクーラーもなかった世代の人たちが、いまスマホを使ってるの、ものすごいことだと思う。そりゃ完璧に使いこなせないだろうけど、ともかく使ってるだけですごい。僕、二十年後に主流となっている、まだ見知らぬデバイスを使いこなす自信ないもん。

いま「なんでできないんだよ」「情弱だなあ」なんて言って、どこかせせら笑っている人たちが、二十年後三十年後に同じように若い人からバカにされないといいよね。ＡＩなどによる補佐機能が進歩して、あまりよくわかっていなくても、とりあえず目的は果たせるようになっているといいよね。

周囲で人がバタバタ死んで行くところにしばらくいたことがある。すぐ隣のベッドで人があっさりと死んで行く。僕もギリギリだった。亡くなった方の遺族が絞り出す言葉の多くは「どうしてあなたが死ぬのか。悔しい！」というものだった。亡くなる人も悔しかっただろう。あの叫び声を僕はずっと忘れない。

🐦お薬を飲んで寝る。今日の僕と明日の僕がつながっているのが、いつも不思議でたまらない。本当は全て嘘なのかもしれない。朝、目を覚ましたときに僕の中にある記憶は本当に僕の記憶だと言い切る自信がない。他の誰かの記憶ではないと確信できない。あ、それが「WEST WORLD」のホストか。

🐦渋谷の文化村横の交差点の一時停止と、パルコ北側の交差点の右折時間制限、標識がすごく見づらいので、知らないとつい違反しちゃうんだけど、なぜかその先におまわりさんは立ってるんだよね。

あれ、手前に立ってくれていたら、ほとんどの人が危険な違反をしなくてすむのに。手前に立っていてほしい。違反するのをじっと待っているみたいで、なんだかあまり心証がよろしくない。もしそれで事故が起きたら、どう言うんだろう。

交通ルールは事故を防ぐためにあるのだから、違反を待つのではなく、あらかじめ違反が起きないように努めてほしい。直接そう言ったらニヤニヤ笑いながら「そうですね〜〜」だって。

交差点の先（手前から見えない場所）にはほとんど毎日立っていらっしゃるんですよ。で、次々に違反した車を停めて反則切符を切ってるのです。だったら手前に立つのも無理じゃないでしょう。反則切符を切る手間だって省けるんだし。まあ、政府の予算案を丁寧に見ると、反則金徴収の金額が前もって歳入予算として決まっているので、検挙数のノルマがあるのでしょうね。変な話ですけど。

🐦もう一年以上パスポートを使っていない。言葉の通じない世界、常識の異なる空間、流れる時間の違う場所に立っていない。一処に長く留まっていると精神に澱や垢がたまっていく。自分のいる場所が普通だと思い始める。せめて翻弄された過去の旅を思い出し、なんとかこの普通を壊したい。

🐦ピアノが上手くなければプロのピアニストにはなれない。プロのサッカー選手は、もちろんサッカーが上手だ。でも、政治家は別に政策立案や国家運営が上手くなくてもいい。ただ選挙が上手ければそれでいい。選挙のプロであって、政治のプロじゃないんだよね。

テープが絡んじゃうVHSデッキ、どうも調子の悪いDVD／VHD／HDDレコーダー、空っぽの機材ラック（4U）、ウォルトジョンソンのテナーケース＆アルトケース（ぼろいけど、たぶんもはや入手困難）、ヴァンガードのナイロン製カメラバッグ外装、いまいちロックの効きがわるい小型工具箱……ぜんぶ捨てたい。こういう使い道のないものや、わけのわからないガラクタだけを並べたガレージセールやりたい。

二十歳くらいのころ、鳩の恰好をして「はとバス」に乗るってのをやってた。観光客がめちゃくちゃ喜んでた。宇宙人の恰好をしてプラネタリウムに行くときは暗くなってから入って、明るくなった一瞬後に出て「ん？　いま何かいた？」って思わせるのがコツ。

目が覚めると僕はまずそれまで見ていた夢をメモにとる。どんどん記憶の奥底へ消えて行く夢と、それをなんとか思い出しながら書き留める手との勝負。たった一つ、キーになる何かを上手く書き留められたら、そこから連鎖的にかなりの部分を思い出せる。それを見つけて書き留められるかどうかがポイントになる。

今日書き留めたキーワードは「外せなくなった時間の知恵の輪。ビッグバン以降の時間の半分だけを九十度ずらせることができれば、過去が全て元に戻る」「風呂の中に二人で隠れるが一人もいない」「僕の運転する車の後ろから現れた車にも僕が乗っている」これでだいたいディティールまで思い出せる。

渋谷のセンター街なんて、それぞれの店が店頭で流している音楽と、いくつもあるなんとかビジョンから流れてくる音と、街そのものが流しているラジオだかなんだかの音がグチャグチャに混じってちょっと変になる。神楽坂も街燈のスピーカーから音楽が流れていてびっくりした。音がないと不安なのかねえ。

かつて自分が十四歳だったことが、なんだか信じられない。不思議な気分。けれども、まだ僕の中にはあの十四歳だったときの僕が確実にいる。あの子の叫びをちゃんと聞いてやりたい。聞かなきゃならない。

十四歳の僕も、十七歳の僕も、十九歳の僕も、二十三歳の僕も、ずっと叫んでいた。誰にも聞こえない声で、どこにも届かない声で、何かに向かって叫んでいた。どうしていいかわからず心の中で叫んでいた。その声を聞き取ることができるのは、きっと五十歳になったいまの僕だけなのだろう。聞くよ。もう一度、聞くよ。いまどうしてる？


強制送還を最終的に決定した人は、ちゃんと自分の名前を書類に残して相手に渡すのだろうか。他者の人生を左右する決定をしたのだから、せめてそれくらいはするよな。

役所の人も政治家の人も「私が法に基づいて（あるいは私の主義主張において）判断し、私の権限と責任において決定した」と、いついかなるときでも言えるようでいてほしい。そして、それはちゃんと記録に残しておいてほしい。なくなったとか、検索中とか、シュレッダーにかけちゃったとかじゃなく。

正しい意見を口にするときには、その正しさは、はたしていま求められているものなのかを考えないと、ただ正しいだけになる。普遍的な正しさは、局所的には不要なもので、ときには暴力になりさえする。優しさを纏わない正しさは、恐ろしくもある。

以前は、多くの人がおもしろいと勧めるものは、僕も「おもしろいなあ」と思っていました。最近は一割以下。歳のせいだけではないでしょうが、だんだん僕も頭が硬くなり、許容できる範囲が狭くなったのでしょう。「これおもしろいですよ！」と言われて読む小説の大半がどうも僕には合わないから、たぶん僕はもう時代の感覚とずれているんだろう。物語の内実やテーマより、物語の構造そのものにしか関心がなくなりつつある気がする。運動による成長や心情の変化より、運動そのもの、体を動かすこと自体への関心。

□自己責任と切り捨てられつつ

Nスペ「大アマゾン」の最終回、イゾラド編がすごい評判で、よくこんな取材ができたなという声をちらほら聞く。時間をかけてこういうものが撮れるのはやっぱりNHKのすごいところ。誰かが撮らなければ知られない現実がある。それは戦争取材に向かうジャーナリストも同じ。自己責任と切り捨てられつつ。

🐦朝から連続でビデオ会議6本。やっと終わった。ビデオ会議って異常に疲れる。脳が完全に干からびてる。干からびた脳を振りしぼって今から原稿。

🐦そんなことより、コンビーフってあのクルクル回す缶じゃなくなるんですよ!

🐦たとえどんなオファーがあったにせよ、最終的にはその「いち表現者」がすべての覚悟を引き受けて書くのが文章表現なのだと僕は思っています。

🐦さっき大発見をしました。博多は四国です。

🐦人生は演技そのもの。相手によって役が変わる。

🐦クラブハウス試してみたけど、僕はこういうのダメだ。合わなかった。知らない人といきなり雑談とか無理。アカウントは消せないみたいなので、とりあえずアプリだけ削除。せっかく招待してくれたのに、ごめんね。

🐦えるしってるか。にもつを適当に詰め込んだ段ボールは、引っ越し先でぜんぶ開けないと、どこに何があるかわからないんだぜ。段ボールを開けても開けても今すぐ必要なものにたどりつけない。

🐦大阪地下鉄御堂橋線なんて、まだ1回も電車通ったことがないらしいですよ。

🐦気圧は低いが血圧は高めの浅生鴨です。みなさん、こんにちは。

◻「文書」を作る道具

ここ数日、ワードと格闘していた。単語、ではなくマイクロソフトのワープロ、Ｗｏｒｄである。普段、僕は原稿用紙に手で書いたものを、キングジムのテキスト入力マシン「ポメラ」でデータにすることが多い。ポメラは何台か持っていて、仕事場で使っているのはＤＭ－２００、外に持ち出すのは主にＤＭ－３０。どちらかといえばＤＭ－３０が好きだ。

型番を書かれてもわからないだろうが、ＤＭ－３０は画面が電子ペーパーなので見やすいのと、乾電池で動くから充電を気にしなくていいところが気に入っている。欠点はＵＴＦ－８が使えないことと、一ファイルあたり五万字までしか対応していないので、長編だと全部は収まらないことくらいだ。キーボードも僕の手にはちょっと合っていないのだけれども、書く以外に何もできないこの不便さが心地いい。

パソコンでテキストデータを入力するときは、ずっとｉＴｅｘｔＰｒｏを愛用していたのだけれども、近年、昔懐かしいＥＧＷＯＲＤが復刻されたので時々浮気をしている。もちろんＭａｃ標準のＰａｇｅｓも使う。そのあたりは書く内容によって違っていて、ＧＩＮＺＡで連載しているコラムはＥＧＷＯＲＤで書いている。パソコンはＭａｃだ。一九九〇年にＳＥ／３０を買って以来ずっとだから、もうかれこれ三十年近い付き合いになる。エクセルなんてもともとＭａｃのソフトだったのに、いつの間にかマイクロソフトのメインソフトになっているのだから時代を感じる。

ずいぶんと話が逸れたが、ワードだ。わけあって、手書き原稿をワードで入力する必要があり、ほとほと疲れ果てた。勝手に書式は変わるは、赤だの青だのの妙な線は出てくるは、字が違うだのなんだのと指摘してくるはで、ふつうに作業する時間の四倍くらいかかった。本当に疲れた。

僕が文章を書くときには、一定のリズムのようなものがあって、そのリズムが乱されると本当に書きづらい。手書きした原稿をテキストデータに打ち直すときにも、かなり推敲をするのでやっぱりそこにはリズムがあるのだ。

あれはもうなんというか、文章を書くツールじゃないのだなと思った。「文章」ではなく「文書」を作るための道具なのだ。ビジネスのための道具なのだ。

そんな愚痴をツイッターに書いたら、たくさんの人からアドバイスをいただいた。その多くは、初期設定の何とか機能を全部オフにしろというもので、それはワードを使うときの基本操作、常識らしい。

いや、おかしいだろう。初期設定が使いづらいってどういうことなんだ、と僕は思った。何もしない状態が一番シンプルで使いやすくて、そこに何か機能を追加したくなったらそれぞれの機能をオンにするようなつくりになっていないとダメだろう。逆だよ。これじゃ、欠陥商品じゃないか。

せっかくアドバイスをいただいたものの、今回の僕の仕事は、その何とか機能を使うことが重要で、つまりそのためにワードを使っているので、何とか機能をオフにすることなく、どうにか最後まで書き終えた。

もういやだ。

♪ 回る世界

赤身のフィッシュ
白身のフィッシュ
味わうフリをして
丸呑み（丸呑み～）

切り立てフィッシュ
酢締めのフィッシュ
恥じらう君に聞く
Do you Know me？（Do you Know me）

クルクル回る世界は
皿の数だけオートメーション
ゆらゆら巡る僕らは
皿を重ねてレボリューション

♪ YNMN

I have my number
I have a card
Ah
My number card

I have my number
You have your number
Ah
Your number my number

My number card
Your number my number
Ah
Your number my number card
Your number my number card

(Dance time)

□わかってるさ

旅先の宿で、しかもスマホで今これを書いている。

僕はふだん、原稿を紙にペンで書いてからパソコンでテキストデータにしているから、こんなふうにスマホでいきなり書くことには慣れていなくて、なんとも奇妙な感じだ。

今日は大阪の書店を訪問した。ジュンク堂書店大阪本店。ここでは今、僕の選んだ膨大な点数の本を「かも書店」という棚にしてくれていて、この棚がとにかくいいのだ。そりゃまあ僕の選んだ本だけが並んでいる棚だから、僕好みなのはあたりまえなんだけど、とにかくいいのだ。お近くの人はぜひあの棚を眺めに行って欲しい。

そのあと知人のイベントに顔を出して、映画の話を楽しんだ。打ち上げもずっと映画の話だった。みんなが楽しそうに映画の話をしているとき、僕の頭の中では今書いている小説の主人公がみんなと一緒になって笑っていた。

彼女は時々こちらを見ては「早く書いてよね」なんて急かしてくる。

「鴨さんが書いてくれなきゃ私は何もできないんだよ」
わかってるさ。急ぐよ。僕は頭の中でそう返事をする。
わかってるさ。よくわかってるさ。

「note」二〇一九年十一月二十八日

年末にどうやら家に居場所がなくて行き場のなさそうなおじさんたちと公園のベンチに座ってる。おじさんの一人が缶の紅茶くれた。ありがとう。

たいていのものはぼやっと見えます。

節子、それニュースやない。ニュース·ショーや。あれはショーなんや。歌ったり踊ったりするショーと同じショーなんや。事実を伝えるんじゃなくて、客を楽しませるための番組なんや。そこ、まちごうたらあかん。

発注する企業や役所側が、自分たちは何を発注したいのかがはっきりしていなくて、完成品を見てから「ここが違う、あそこを直せ」と言い始めるので、その曖昧さに対応できる代理店が引き受けるしかないのです。

Je ne sais pas
comment tu peux é
crire une telle c
hose dans ton pr
opre profil. Je n
e pourrais jamais
le faire.

断捨離のタグがついたツイートを見るたびに思う。お前がまず最初に断つべきなのはTwitterだ!!

「ポイントカードはありません」って書いたTシャツをつくって着ていればいい。

どうしようかなあと頭を抱えている

しばらくの間、僕はこのｎｏｔｅを書かずにいた。前回の投稿日を確認すると四月の末だから、三週間ほど何も書いていないことになる。正確に言うと、下書きのようなメモはたくさんあって、ただそれを完成させていないだけなので、まったく何も書いていないというわけじゃないのだけれども、ともかく公開したものはない。

特に更新の頻度を決めているわけじゃないし、ここは僕が好きにできる場なのだから、別にそれで構わないどころか、むしろそれでいいはずなのに、いっとき頻繁に更新していたら、なんとなく、ああそろそろｎｏｔｅを書かなきゃとどこか義務感のようなものを覚えた瞬間があったので、これは良くないなと思ったのと、いま抱えている案件のいくつかがあまりにも理不尽で、愚痴ばかりが紛れ込みそうだと感じたこともあって、——実際に下書きのメモを見るとそういうものが多い——、あえて書くことを止めていたようなところがある。

もちろん、遅れに遅れている各方面への原稿もあるから、まずはそちらを優先しなきゃならないというか、ここで公開しちゃうと、ちょっと待て、そんなところに書いてる場合じゃないだろうというツッコミやお叱りを受けるのも怖いし、あとはやっぱり文学フリーマーケットに出店した余波というか、終わってからの片付けやら残ったものの通販やら電子書籍版の作成やら何やらで、ちょっとキャパがオーバー気味だったこともあるしと、まあ、いろいろな言いわけは並べられるのだけれども、ともかく更新はしていなかったのです。

近況報告的なことを書くと、ふだん僕は受注されたものだけを書いているのに、どうも最近、だったらこういうものを書きましょうかと自分から口にする場面が何度かあって、といっても積極的にそれを書きたいわけではなく、あくまでも発注してくれた相手に対してぼんやりと提案するような感じだし、やっぱり書くことは嫌いだし書きたくないし、僕にとって書くという行為は、なぜかそうせざるを得なくなるもの、他にできることがないから、しかたなくやるものだと今でも思っているのに、それでも、少しだけ僕の中で何かが変化したような気がしている。

それは文学フリマに参加したことと無関係ではなさそうだ。あそこで頒布した小冊子や文庫に収録した一部の文章は、どこからも依頼がないのに自分から書いたもので、だからきっと、あれに参加したことは、僕にとってとても良いことだったのだろう。

とても良いことだったものの問題はあって、今回つくった二冊の文庫本はもうほとんど残っておらず、読みたいと言ってくれる人はまだいるのにお渡しできる現物がない。だからといって、印刷代やら在庫を置く場所やらのことを考えると気軽に増刷するわけにもいかず、どうしようかなあと頭を抱えている。

「ｎｏｔｅ」二〇一九年五月十七日

□掲げていた目標

日中はまだ汗ばむこともあるものの、朝夕ともなれば、もうすっかり涼しくなって、窓を開ければ秋の虫音が聞こえてくる。ときおり首筋を撫でる風には深い秋の匂いが含まれている。今年の夏は終わったのだ。

この夏、僕は一つの目標を掲げていた。こうして夏が終わったことで、どうやら僕のその目標は無事に達成できたように思う。基本的に僕は周りの状況に流されて生きているから、あまり目標や目的なんてものは持たないし、たとえ持ったとしても、それは一時的な気の迷いみたいなもので、そこへ向かって努力するようなこともない。だからこれは珍しいことなのだ。

さすがにこの夏はあまりにも暑い日が続いたものだから、途中で何度か挫折しそうになったのだけれども、それでもいくつかの物理的な制約があったおかげで、どうにか挫折することもなく、何とか乗り越えることができたのだった。

今年の夏は半ズボンを履かない。それが僕の立てた目標だ。特に理由があったわけじゃない。ただ半ズボンを履かずにいようと思っただけのことで、半ズボンがきらいなわけでもないし、世の半ズボン派に対して何かモノを申したかったなんてこともない。

ともかく僕は半ズボンを履かなかった。どれほど暑くても街の中でいきなり履き替えるわけにはいかないし、そもそも去年破れたものを捨ててから僕は半ズボンを持っていないので、履きたくても履けなかったのだ。物理的な制約とはそういうことだ。

周りの人から見ればあまりにもバカバカしい目標なのかもしれないし、こうやって一つの目標を達成できたことで、何か自信のようなものがついたり、喜びの気持ちが湧いたりしたかといえば、まったくそんなこともない。

そもそも、どうして履かずにいようと思ったのだろうかと、今更ながら、ただ不思議に思っているだけだ。

❑ 実験をしばらく

僕は今、黙々と同人誌をつくっている。これはもう家内制手工業というか個人制手工業に近いもので、大人数でチームを組んで一冊の本を仕上げていく大手出版社とは手法も規模もまるで違っているし、ものづくりは結局のところ、細部の質の積み重ねなので、そういう意味ではたぶんあちらこちらの質が少しずつ抜けている僕の本は、大手出版社の出す本に比べれば細部に足りないところがたくさんあることも自覚している。

しかも大量に印刷して大規模な流通に乗せられるわけでもないから、どうしたって値段も高くなる。

定価が高いのには、そういった数や流通の理由もあるのだけれども、書店にも取次（書籍の流通業者）にも著者にもちゃんと還元したいと考えて価格設定をしているからでもあって、僕のつくる本は普通の書籍よりは、著者や取次や書店への還元率を高くしてある。

というのもこれはある種の実験で、僕はギリギリ赤字さえ出なければそれでいいので、とにかくこの本に関わる人が少しでも利益を出せる方法を模索しているところなのだ。

書く人が自分で本をつくって売る。それは先祖返りに近い形態だ。かつては全ての本がそうだったわけで、本が大量につくられ大量に販売され、大量に読まれるようになったのはごく最近のことなのだ。

そしてもちろん、読まれる数よりも買われる数のほうが多い。ふだん本を読まない人たちが何かの機会に本を買うことが、大手出版社の経営を支えているのは中島梓さんが『ベストセラーの構造』で指摘している通りだろう。

たくさんつくられて書店に一気に配本され、すぐに売れなければ一ヶ月で店頭からは消え、返本されて断裁される。その往復の輸送コストだってもったいないし、なによりも本を断裁するだなんて、考えただけで心が折れる。

僕は先祖返りした形態をベースにしつつ、みんながちゃんとうまくやっていける方法はないのだろうかとぼんやり考えている。大量生産される本ではなく、数は少なくとも、時間はかかっても読みたい人に買ってもらえる本。その上で、関わる人がちゃんと利益を出せる本。

今、僕たちの外出が制限されている影響で、大きな書店が次々と休業に入っている。これまで、そういった大規模書店に大量に卸していた出版社は、たぶん本の納品先がなくなるから、そのうちホームページなどで直販を始めることになるだろう。そして直販の利益率に味を占めた出版社は、この先きっと書店と直販との比率を少しずつ変えていく。大量生産される本はそうするしかない。

そうなったとき、小さな新刊書店はどうなるのか。書店への配本が削られ、売れ筋商品は出版社の直販サイトで買われるようになったとき、いったいどうやって口に糊するのか。そのときに少しでも役に立てる本をつくれないか。そのためにはどういう方法でつくればいいのか。

実験をしばらく続けたい。

「ｎｏｔｅ」二〇二〇年四月十八日

□他人を褒める

本当に色々と切羽詰まっていてもうまったく時間がないのでさらっと書く。前々から気になっていたことを書く。

自己肯定感というやつだ。「最近は自己肯定感の弱い人が多い」だとか、「私は自己肯定感がない」なんて言葉をここのところよく耳目にする。いつごろからこの言葉が使われ出したのか、はっきりと意識して調べたことはないけれども、たぶん二〇〇〇年代の中ごろ以降で、それまでは自尊心と言っていたように思う。

もちろん自尊心（自己肯定感）の形成には親子関係が大きく関わっているだろうし、無根拠ながらも、褒められて育った子どもは自己肯定感が強くなるのだろうなという手触りのようなものはある。

大人になるとなかなか褒めてもらえない。でも、だからといって、大人になってからこうした自尊感情が育たないかと言えば、そんなこともない。

自尊心を高める方法は、他人を褒めることだと僕は思っている。逆説的に思われるかもしれないが、自尊心の低い自分を褒めるのではない。いま目の前にいる他人を褒めるのだ。

他人を褒めるためには自分の中にある種の規範や基準が必要だから、他人を褒めていると、そうした基準が自分の中でしだいに育ち、そして、それがやがて自尊心につながっていく。

だから自分は自尊心が低いなと感じている人、自己肯定感が弱いなと思っている人は、自分を褒めるのではなく、どんどん他人を褒めるといい。

他人のいいところを見つけて褒めることに慣れないうちは、きっと心の奥底で嫉妬しているだろう。やっかんでいるだろう。そのいやらしい感情をまずは自覚するのだ。自覚した上で、そうした感情を抑えてただ褒めるのだ。

そうやって他人を褒め続けていれば、いずれは今ここにいる自分こそが、自分そのものなのだと、ある種の諦めを持って受け入れられるようになるはずだ。自己肯定とは自分に自信を持つことだけではなく、できない自分を認めることでもあるのだから。そうして何かを諦めることでもあるのだから。

人は他者との関係の中で生きているから、他者をしっかり認めることは、自分自身を認めることにつながっている。

それはちょうど塗り絵のようなもので、まわりをすべて塗れば、何も塗っていない部分だって、やがて白としてはっきりと浮かび上がってくる。自分が浮かび上がってくる。僕はそんなふうに考えている。

浅生鴨を海の動物にたとえると、あひる。温厚で優しい人。人畜無害だけど懐いた人にはピッタリくっ付いて離れない。海の甘えん坊。

「シェフはおまかせサラダ」だと、シェフが野菜。

「南の島の大王は雨が降ったらおやすみ」って歌、南の島の大王にたいしてちょっと失礼じゃないかと思うんだよ、僕は。いいか、あいつはな、雨が降っても降らなくてもおやすみするんだよ！　そういうやつなんだよ！！

「宿泊には泊まりがある」

僕がなにか一つのことを考えはじめている間に、みんなが別の話をする根気のなさが問題なんです。僕は悪くないんです。僕は同じ部屋にいるのにさっさとその部屋をみんなが出て行くのが問題なんです。いまは奈良県のことが気になってしかたありません。せんとくんは、いつかまんとくんになるんです。

コーヒー＆お出汁は微妙でした。

かつては呪い師がその役を担っていたように、平時の医者は「異者」なのです。

「待ちに待った新刊が出てるぜェエ！　イェエエエエイイジャアアアアスティーース！！！　レジにボォーン！」

いつかのさようならに

お昼どきになって、そういえば麻婆豆腐を食べたかったんだよなあ、なんてことを思い出し、ふらりと近所の中華料理店に出かけた。

店の前に置かれた商品サンプルの麻婆豆腐に目をやり「うん、これだな」と店内に入って椅子に座ると「イラシャイマセ」と中国語訛りの店員がテーブルにコップと水差しを置いてくれる。氷の入った水差しには水滴がたくさんついていた。冬だから氷は入れなくてもいいんじゃないかと思いつつ、僕は黙ってコップに水を注ぎ、マスクをずらす。隣のテーブルでは親子連れが揃って楽しそうにチャーハンを食べていた。

冷たい水をひと口飲んでからマスクをつけ直し、ラミネート加工されたメニューをのぞき込んだ。小さな写真がずらりと並んだ横には料理名と番号が載っている。この店には日本語が苦手な店員も多いので、まちがえないように番号で頼むのだ。

僕は躊躇うことなくメニューのひとつを指さした。

「これを、六番を」

「ロクバン、レバニライタメネ」

「はい」

店員が厨房に向かって大きな声を上げる。中国語なので何と言ったのかはわからないが、とにかくレバニラ炒めが注文されたはずだった。

そうなのだ。麻婆豆腐を食べようと店に入ったのに、僕はレバニラ炒めを頼んでいた。まちがいなく麻婆豆腐が食べたかったし、メニューをのぞき込んだときもちゃんと麻婆豆腐の写真と番号を確認している。それなのに、なぜか最後の最後で僕はレバニラ炒めを頼んでいたのだ。どうしてそうなったのかは、自分でもわからない。しかも、頼んだ瞬間に「あ、やっぱり麻婆豆腐にすればよかった」と思ったのだ。

何かを決めるとき、僕は最後の瞬間になるまで、自分自身が本当は何を求めているのか、何を選ぶのかがわからない。さんざん考えて、いろいろと準備をして、もうこれでまちがいないだろうと決めて、それなのに最後の瞬間に、それまで考えてもいなかった選択をし、そうして後悔する。

自分が何を選ぶのかは、その場になってみないとわからないし、きっと何を選んでも僕は必ず後悔するのだろう。だから後悔することを前提にものごとを選ぶほかないと思っている。

まして自分の死に際についての話であれば、たとえ、あらかじめ何かを決めていても、きっと最後の瞬間に、ああ、やっぱり違ったぞと思うに決まっている。

それでも僕は自分の死についてどう考えているのかを、誰かに伝えておくことは大切だと思う。

たぶんそれは、僕のためじゃない。

かつて僕は大きな交通事故に遭い、死の一歩手前を体験したことがある。そのときに僕は、ああ、今はまだ死ねない、死にたくないと心の底で強く願った。命を失うことを恐れたのではなく、ただ、家族に何も伝えないまま死ぬのはいやだと思ったのだ。死ぬことは受け入れるけれど、ちゃんと家族に会って、きちんと話して、しっかり謝ってから死にたいと思ったのだ。

医療関係者と家族の尽力と幸運のおかげで、僕は一命を取り留めることができたけれども、もしも、あのまま命を失っていたら、家族はどんな思いをしたのだろうかと考えることがある。そして、それ以上に、まったく意思の疎通が図れない状態になっていたら、家族はいったいどう対応したのだろうかと、ときおり考える。そうして、なんだか申しわけない気持ちになる。

死がとつぜん近づいたとき、そして僕が自分で死に方を選択できなくなったとき、けっきょくのところ、最後に何かを決めなければならないのは家族や医療関係者だ。

だから僕が、自分はどう死にたいかを話すのは、僕のためじゃない。

万が一のときに、僕の死に方を託す家族や医療関係者の負担を減らすために話すのだ。もちろん、そのときになってみないと何が正解かは誰にもわからないし、たぶんどんな道を選んでも多少は後悔することに違いはない。きっと僕だって、ああ、やっぱりそうじゃなかったと後悔するだろう。なにせ麻婆豆腐とレバニラ炒めでさえギリギリまで選べないのだから、それはもうまちがいない。

自分の死に方を自分で選べるのは理想だけれども、いつも自分で選べるとは限らない。だったら、死ぬ僕ではなく、あとに遺る家族ができるだけ楽な気持ちでいて欲しい。「この人はどう考えるだろうか」「いったいどう言うだろうか」を家族の想像に任せるのではなく「あのとき、ああ言っていたから」「いつも、こうして欲しいと言っていたから」と明確にしておけば、少なくとも負担は減るだろう。その上で、あとは家族の気が済むようにしてくれたらそれでいい。

自分の死に方について、前もって家族と話しておくことを「人生会議」と呼ぶらしい。日常の中でなんとなく「ああしたいな」「こうしたいな」と話すのもいいけれど、僕は「さあそれでは、ただいまから人生会議を始めます」という時間を持ってもいいんじゃないだろうかと思っている。わざと大袈裟に、芝居がかって、笑い話なんかも交えながら、それでも真剣に話した時間は、いずれ必ず役に立つことになる。

レバニラ炒めを食べ終わると、あっというまに空になった皿を店員が持ち去った。食後の余韻など味わっている暇もなく、なんだか追い立てられるように伝票がテーブルの上に置かれる。

「ごちそうさま」

僕は会計を済ませて店を出た。

「アリガトゴザイマシタ」

閉まりかける扉の隙間から店員の声が僕の背中に届いた。やっぱり麻婆豆腐にすればよかった、なんて今更ながらの後悔をしながら僕は歩き始める。

僕たちは、最期の瞬間に「ありがとう」や「さようなら」を伝えられないかもしれない。「ごめんね」と謝ることができないかもしれない。そのときの、本当の気持ちは伝えられないかもしれない。

でも、だからこそ僕たちには「人生会議」が必要なのだ。それは、誰もがいつか伝えることになるはずの「さようなら」に代わるのだから。

「ｎｏｔｅ」二〇二一年一月二十日

西智弘・著『わたしたちの暮らしにある人生会議』

（二〇二一年・金芳堂）に応援エッセイとして収録

□デビューをダメにした

『重版出来！』を見ると、レコード会社で働いていたときのことを思い出す。不可抗力だったとはいえ、僕自身に降りかかった大きなトラブルが原因で、担当バンドのデビューをダメにしてしまったり、不安を抱えていたアーティストが音楽から離れるきっかけをつくってしまったり。申しわけなくて今でも胸が痛む。

菅首相には2種類ある。真っ黒けの菅首相と、そこまで真っ黒じゃない菅首相と、単に黒いだけの菅首相だ。

「初めに言葉ありき」の「言葉」は音。音こそが言葉の本質。

小っちゃなころから老害で〜♪

古より人類の住む場所には必ず生息すると言われている未知の生命体、睡魔。我々取材班はこの不可思議な生き物の謎を解明するため、お布団の奥地へと向かった。

どいつもこいつも正月気分が抜けてないんじゃねぇのか？　ああ？　もう仕事始めはゴールデンウィーク明けくらいでいいんじゃないか。

僕、知らない間にサウジアラビアで車を買っていました。カードで。

「情報解禁」って、出す側の勝手な事情と都合でしかないので、僕はきらいです。

ドゥユーハヴマイナンバー？ノーアイドンハヴユアナンバー

戦争は体に悪い。

完全に倒したはずなのに、背後からイヤな気配がして、思わず振り返ると、なぜか立ち上がってニヤリと笑っている納期。お前ゾンビかよ！　もう納品しただろ！なんで蘇ってくるんだよ、おかしいだろ！！！！

自分で選びたいのだ

どこの車とは言わないが、乗りたくないタイプのタクシーがあって、街の中で手をあげているときに、その種のタクシーが速度を落として近寄って来たら、たとえどれほど急いでいても僕はそのまま手を左右に振って、やり過ごすことにしている。運転手が「なんだよ、紛らわしいんだよ」とでも言いたげな顔つきになるのがフロントガラス越しにわかるが気にしない。乗ってしまって不快な思いをするよりは、――それはタクシーを降りたあともしばらく続くのだから――、最初から乗らずに済ませたいのだ。

街の中ではそうやってやり過ごすことができるのに、駅前の乗り場に並んでいると、どうしても順番に乗る羽目になるのが、どうも納得いかない。

僕の後ろに人がいれば「先にどうぞ」と乗るタクシーを変えることもできるのだけれど、誰もいないと先頭にいるタクシーに乗ることになる。特に、空港や大きな駅ではタクシーを案内する人がいて「はい、これに乗って」と僕の希望も何も聞かずにどんどん乗せようとするから困る。

以前、先頭に停まっていたのが僕の苦手なタイプのタクシーだったので、順番を抜かして二台目のタクシーに乗ろうとしたら、クラクションをビービー鳴らされ、開いた窓から「こっちだよこっちこっち」と怒鳴られたことがあって、だからやっぱり僕はそのタイプのタクシーは苦手なんだという思いを強くしたのだった。

深夜の街で僕は何度もタクシーの乗車拒否にあったことがある。乗り込みながら行き先を告げたとたん「ああ、無理だね」なんて言われて降ろされたこともある。特定の会社が出しているタクシーを呼ぶためのアプリもあるが「周囲に車両はありません」という表示ばかりで、いまいち使いづらい。

タクシー側がそうやって客を選ぶのであれば、僕もこのタイプのタクシーには乗りませんという札を出して、こちら側でもタクシーを選べるようにならないものだろうか。それほどわがままを言っているつもりはない。ただ僕は、自分の使うサービスは自分で選びたい。それだけのことだ。

♪ 華麗なる餃子

カレーはギョーザ
お寿司はチャーハン
チャーハンは　半チャーハン
バーチャンも　半バーチャン

スープは二の次　ワカメ噛め
カレーを飲んで　お寿司も飲んで

液体　液体〜（液体〜ッ）

回れば遠く　銀河のお寿司
どの星座が　ギョー座なの
揺れてふくらむ　贅肉脂肪
溜め込んでね　華麗にね〜

スープは二の次　ワカメ噛め
カレーを飲んで　お寿司も飲んで

液体　液体〜（液体〜ッ）

回れば遠く　銀河のお寿司
どの星座が　ギョー座なの
揺れてふくらむ　贅肉脂肪
溜め込んでね　華麗にね〜

目 子供のころの感覚を

誰だって子供のころには自由に空想を操って、自分だけの世界に浸っていられたのに、大人になるにつれて僕たちはその能力をどこかへ置いてきてしまいます。けれどもアイデアは、そんな空想や妄想の中にこそ潜んでいるもの。

新刊『だから僕は、ググらない。』では、ネットを検索しても出てこないものを、自分の頭の中から見つけ出すために僕のやっている方法をご紹介しました。

みなさんにとって、いつしか凝り固まってしまった頭を解きほぐし、もう一度子供のころの自由な感覚を取り戻すための一冊になると嬉しく思います。

住友生命ベストブック　二〇二〇年六月号

ある日の日記

朝から近所の整形外科でリハビリ。いつも思うのだが、あの電気をビリビリ流す機械は本当に効果があるのだろうか。リハビリを受けながら『ドコノコ』。

短編のゲラがなかなか来ないのはお盆休みと関係があるのかなあと不思議に思いつつも念のために確認の連絡をすると、あれ？　もう送っていませんでしたかと編集者。すぐにゲラがメールで届く。危ないところだった。確認してよかった。うちではＡ３の出力はできないので、コンビニでプリントアウト。本当に便利な時代になった。何でもコンビニでできる。宅配の受け取りもできるし印鑑証明までとれる。それなのにコンビニの店員はコンビニの店員としての給料しか貰っていないのはおかしいような気がする。宅配便の人と区役所の窓口の人の給料が一部はいってもいいんじゃないのか。

入稿した時から悩んでいるところがあり、ゲラを前に赤ペンを手にしたまままた悩む。たった一行に悩み続ける。締め切りギリギリまで悩もう。赤を置いてウィリアム・ピアスンの『チェスプレーヤー』。昼食はハムサラダ。

メモをひっくり返して来月号のネタを考えるものの、いい案は浮かばず。書いているうちに手が滑って話が転がることもあるので、とりあえず数行だけ書き始めてみる。二枚だけ書いて放置。どうなるかはまだわからない。次の長編にも少しだけ手をつけるが、ほとんど進まず。いったいいつになることやら。午後しばらく経ってから外出。今日は風もあってわりと涼しかった。

レコード会社時代に担当していたアーティストに会う。有名バンドのサポートプレーヤーをしつつ、今は自宅で子供相手に音楽教室を開いているという。喫茶店でイベントの台本やら打ち合わせの日程調整やら。

夕方、先日パソコンの電源を置き忘れたので外苑前にある某社へ引き取りに。神宮球場は野球の試合があるらしく、通りは人で溢れていた。そのいっぽう、某社はお盆休みだそうで、いつもよりずいぶん人が少なかった。そのあと渋谷のラジオ。T氏、K氏などが出演している番組の見学。ラジオだから聞学か。番組が終わってからK氏の自宅でハト麦茶を飲みつつ、現実と交錯するドラマがつくれないだろうかなどとしばし妄想談義。

帰宅して夕食。『チェスプレーヤー』の続き。手に入れたばかりのベースの教本をパラパラとめくる。もう遅いので音出しは明日からにしよう。コミケに出展する知人に連絡。『アグニオン』の宣伝チラシを置かせてもらえないだろうかとお願いする。その他こまかくメールやら手紙の返事やら。

バズ・ラーマン監督の『ゲットダウン』第一話。音楽の使い方が秀逸。カット割りと人の動かし方がかなりカッコ良かった。このあとは、たぶん五輪を見ながら『チェスプレーヤー』。明日はチョイ住みの初試写。おもしろくなっているといいのだけれど。いつもは手帳に書いている日記をここに書いてみた。

◘二月十五日

朝から税理士と面談。いちおう面談には出たけれど、数字だの経理だの、そういったややこしい話はぜんぶ社長にお任せ。正直にいって、僕は赤字でも黒字でもいい。そういう能力は皆無なので任せるよりほかない。

昼前からは某社向け企画書の仕上げ。全体のコンセプトから、コピー案、グラフィック案をまとめたところで、何か足りないなあと思って、急遽サンプル映像を制作。使える映像素材がなかったので、フリーの写真をベースに編集と音楽で、それなりの形に整える。完成したものをぜんぶ一つにまとめてメール送付。これで意図が伝わるかな。採用されるといいな。

コンビニの入り口で手を消毒しない人が増えたなと思った。レジ前でも、もう一メートルの距離をとって並んでいる人は少ない。距離をとって並んでいると、並んでいないのかと思われて、前に人が入ってきそうになる。

三時過ぎに編集の人が来社。某所で五年近く書いている超短いコラムをまとめる本の打ち合わせ。基本的に僕はあまり関わらず、編集の人と社長とで話を進めている。一つ一つは短いのだけれども、さすがに五年間毎日書いているとそれなりの量になるから、どれだけ削るかがポイントになりそう。

夕方からは武蔵野公会堂で立川談笑一門会。腹がよじれるほど笑った。笑うと気分がいい。

帰宅して短編三〇〇用のメモを見返しつつ、長編の続きを少しだけ。長編は毎日一枚でも進めておきたいがなかなか進まない。向こう岸が見えているのに、渡り方が見つからないようなもどかしい状態。

猫におやつをやる。新人のあずきはまだ僕に馴染んでくれない。寂しい。

「ｎｏｔｅ」二〇二二年二月十五日

▢最適な方法で

「やさしい医療」の配信を終えてから、しばらく「優しい」について考えているものの、考えはさっぱりまとまっていない。それでも、とりあえず備忘録的に書き殴っておく。

僕にとっての「優しさ」とはあくまでも結果をもたらすための機能であって、そこに感情はあまり入り込まない。目の前で課題を抱えている人に対して、ただ機械的に最適解を見つけて提案する。それが僕の「優しい」なので、本来ならある種の態度や感情が「優しい」という言葉には含まれているはずなのに僕の「優しい」に感情や態度は紛れ込まない。感情がないから、そこには好き嫌いも利己や利他もない。相手が誰であっても淡々と最適解を探すだけのことだ。

だからたとえ予想外の出来事が起きてもあまり慌てることはない。新たに発生した問題も含めて解決すればそれでいいのだから。

ただ、課題を解決できさえすればそれでいいのかと問われると案外そうでもない。課題を抱えている本人が望まない方法で強引に解決しても、もちろん課題そのものは解決されるのだろうけれども、それは僕のやり方ではないし「あなたのためだから」は僕の最も嫌う提案で、それを僕は「優しい」だとは思えない。ただ解決するのではなく最適な方法で解決しなければダメなのだ。

きっと、僕にとっての最適解とは最も効率的に解決する方法ではなく、最も納得できる方法のことなのだろう。

複数の選択肢を提示してそれぞれの実現可能性を伝え、最終的に当事者が自分で解決方法を選べるようにすること。彼らが自分で選んだ方法をうけて、その中で僕にできる最大限の解決を図ること。たぶんそれが僕の考える「優しい」なのだ。

けれども、あれこれ考えても方法を一つだけしか提示できないことだってあるし、あきらかに片方しか選べない選択を迫ることだってある。当事者に自由に選んでもらうためには僕自身に複数の選択肢を提示できるだけの知識や経験や予測が必要で、だからこそある種の強さや粘り強さや余裕がないと優しくあり続けることは難しい。

気仙沼の会場で
「この中でどれくらいの人が？」と聞いて
手を上げてくださった人の数。
これがこの場の現実。
これがこの場のリアル。
もちろん場所が違えば結果は変わるだろう。
これが全体を反映しているわけじゃないだろう。
ここだって特殊な場なのだから。
だけど僕はこれを忘れない。
東京のメディアが好き勝手に何を言おうと、
間違いなくこういう場もあるということを、

少なくともこういう人たちがいることを、
決して僕は忘れない。
まだまだ僕たちに出来ることがたくさんあるはずだから。
もう終わったことにしたい人もいるのだろうけれど、
そうはさせない。
どうも少し放心している、気が抜け始めている、
そんな気配がある。
でも終わっちゃいない。
ぜんぜん終わっちゃいない。
だからこそ、今が踏ん張りどころなんだ。

同じ側で

物語を書いているとき、僕は自分がいったい何を書いているのかをあまりわかっていないことが多い。もちろん前提となる大きなテーマはあるものの、そのとき自分に見えているものをそのまま文字に落とし込んでいるだけで、何を書くかはまったく意識していないから、見えているものにどんな意味があるかまでは考えないし、たぶん考えてもわからない。

僕の頭の中に広がる空想世界は、むしろこの現実世界よりも僕にとってはよほど現実そのもので、そこにあるのは曖昧であやふやな幻想などではなく、いつもはっきりとした形や重さや匂いを伴っているし、そこに暮らす住人たちは僕が空想していないときにも、それぞれ意思を持って自由に振る舞い続けている。

空想世界そのものは薄く淡い光でつくられていて、集中していなければあっという間に僕の前から消え去ってしまうので、僕は自分の頭の中に潜り込んで見聞きしたものをなんとか必死で書き留めるのに忙しく、だから、たぶんこの行為は創作というよりも、単に記録と呼んだほうがいいのかもしれないと常々思っている。

それでも、書き終えたものを自分で読み直せば、あるいは読んでくれた人の感想を聞けば、そこにはただの記録ではない何かがあるようだから不思議でならない。意味などわからず書き綴った文字には、僕自身もすっかり忘れていた古い体験や感覚がこっそり紛れ込んでいて、たとえはっきり描かれていなくとも、読むことで僕はそれを思い出すし、僕以外の人たちもなぜかそれを思い出すらしい。

ずっと僕の内側だけにあった淡い光の世界は、ひらすら書き留めることで、人々を招き入れることのできる堅牢な構造物へと変わるのだろう。空想と現実との境界線がしだいに曖昧になり、読まれるたびに自分と他者とが混ざり合っていく。互いが境界を超えていくその感覚がおもしろくて僕は物語を書いているように思う。

考えてみれば子供のころから僕は境界を超えるものが好きだった。河川の合流を何時間も眺めていたし、県境を示す標識を見かけるとワクワクした。遠くの海が空に溶けていく色合いも、昼が夜に塗り替えられていく夕景も、コーヒーとクリームが混ざる様子も好きだった。明確にわかれているものよりも、その間に惹かれた。いつもそこには何かがあった。

　出自の複雑さもあって、僕は自分がどこにも所属できない存在なのだと感じていたし、実際、あらゆる場面でお前はこちら側ではないと暗に示され続けてきたように思う。どこにも所属できない僕は拭えない所在なさを与えられる代わりに、境界を超えて自由に行き来するコウモリの自由を得たから、今ではそれもあんがい悪くなかったと思っている。

　引こうと思えばどんなものにだって境界線を引くことはできるから、ともすれば僕たちはものごとを境界の向こう側とこちら側にわけて自分の居場所を確認し、こちら側でいることに安心する。

　けれども、境界線のこちら側と向こう側を行き来しながら、それぞれの場所から反対側を見ると、片側からでは見えない風景が見えることがある。そして、きっと多くの真実は境界を超えるところから生まれていると僕は確信している。

　そもそも視覚に障害のある選手とともに走る伴走者に関心を持ったのも、彼らもまた境界線にいると感じたからで、最初はただ障害者と健常者の間にいる存在なのだろうくらいに思っていたものの、取材を進め、物語を書いているうちに、僕は伴走者と選手との境界こそが曖昧なのだと気づくことになった。

伴走者は選手と向かい合って手を差し伸べるのではなく、いつも隣に立って同じ方向へ顔を向けている。そこにあるのは境界線の向こう側でもこちら側でもなく、互いが同じ側にいるという感覚だけだ。それがどちら側なのかに関係なく、ただ同じ側に立つ。その関係こそが人が人を信じるための出発点なのだ。

自分で何を書いているのかわからないまま書き進めた『伴走者』は、結局のところ、人と人が互いの境界を超えてつながりあう物語となった。それは誰かの物語ではなく僕自身の物語だったし、きっとこの本を手に取ってくれる人の物語でもあると思っている。

講談社『本』二〇二〇年三月号

□ひどすぎて笑ってる

いろいろなものの締め切りと、前々からの約束事と、個人的な用事と、急な頼まれごとと、まさかのトラブル処理が、なぜか全て同じタイミングに重なってきて、さらにそこに体調不良が加わるという、何だろうこれ、占いでいうと何？黒い逆さ吊りの人形みたいなのが出るやつ？　水晶玉が砕けるやつ？　なんだかそんな状態なのです。

どうにか熱は下がったものの、まだ寒気は残っているし、ふらふらしているし、それでも原稿の締め切りは迫っているから、とにかく水分だけは補給しておかなきゃいけないだろうと、仕事場で茶を沸かすためにポットに水を入れようと蛇口を捻ったら、取手の根っこが割れてポロリと取れてしまった。もう踏んだり蹴ったり。弱り目に

祟り目。泣きっ面に蜂。とにかくひどい目に遭っている。

何だろうこれ、いわゆる占いでいうと何？　黒い逆さ吊りの人形のカードがどっかいっちゃって占いができなくなるやつ？　木っ端微塵に砕け散った水晶玉を拾おうとしてケガするやつ？　とにかくひどいのだ。

そうこうしていると、隣の部屋では予告もなく改築工事が始まったようだし、窓を開けると、どこからかわからないけれどものすごいニンニクの臭いが流れ込んでくる。そしてなぜか冷蔵庫のドアが開いたままになっていて、溶けた氷が床に水たまりをつくっている。

いやあ、さすがにひどいぞ。ひどすぎて笑ってる。

「ｎｏｔｅ」二〇一九年十一月十四日

□いつだって手遅れ

仕事場より徒歩数分のコンビニにラグビー日本代表チップスなる商品を見かけ、場所柄まずここに置かれたのであろうと思った。僕の仕事場は秩父宮ラグビー場にほど近い外苑前駅そばにある。

来年開催される予定の二つのピックに向けて国立競技場は取り壊され、いよいよ建て替えも終盤であるが、駅周りの工事はまだあまり進んでおらず、大量に訪れるであろう観客に備えて出入り口をいよいよ整え始めたところで、毎日多くの工事車両が道脇に並んでいるが、これも来年の春には終わるのだという。

この地下鉄駅で階段を使わず地上に出るためには、小さなエレベーターを二つ乗り継ぐほかないのに、その途中には狭い通路があって、もしも車椅子の観客が大挙して訪れたらたちまち大混乱に陥るだろうと危惧していたが、この工事で多少は改善されるのだろうか。バリアフリーの設計はあんがい難しいもので、たとえ見た目や形式を整えても、本質的な思想が変わらなければ、結局は使い勝手が悪いままということもある。

ラグビー日本代表チップスは、おまけのカードとパッケージのデザインだけがラグビー日本代表なのであって、中身のチップスが楕円形であったり、味が特殊なものだったりするわけではなく、もちろんそこはいつものチップスだ。

流行はチップスになる。ヒーローもスポーツもチップスになる。中身は変わらないのに、おまけと外見を変えることで新しいものとして登場する。

別にこのチップスを揶揄しているわけではない。先日、チップスのメーカーに勤務していた人から、ほんの少しの値段の変化が、あるいは僅かな味の変化が、数か月後の売り上げに大きく影響するのだと聞き、感心したばかりである。よかれと思って変えると、瞬く間に売り上げが落ちるのだという。

どうやらチップスには、本質を変えないことが求められるらしい。

変えるべきものと変えてはいけないもの。ものごとを事前に想像することは難しい。

完成したものを実際に使ってみて、食べてみて、売ってみて、あれこれ見つかる不具合や苦情や売り上げの増減に慌てて対応するのが僕たちの常で、それはこのコンビニに置かれたコーヒーマシンを見てもわかる。新奇なデザインの機械に貼られたお手製の案内は、最初からそれを掲示していればよかったと思わせるものばかりだ。

ものごとを事前に想像することは難しい。駅にせよ、チップスにせよ、コーヒーマシンにせよ、どれほど想像しても及ばないことは多々あって、そういう意味で僕たちはいつだって手遅れなのであり、後手後手に回りながら、なんとか取り繕っていくしかない。ただ、常に手遅れなのだとわかってさえいれば、少なくともあとから立て直すだけの余力くらいは、せめて残しておけるかもしれない。

ところで、ラグビー日本代表チップスのおまけはまだ開封していない。これはもう手元にあるものだから、もはや手遅れになりようもないのだけれども、開けた瞬間に、うわあ、これは手遅れだと思ったらどうしようか。

□十年

最近いろいろ聞かれることが多いので、ざっくりと。

今の職場で働き始めてから、今日でちょうど十年が経った。

入った時にとにかくここに十年いよう、そして十年経ったら辞めようと思ったその十年が終わった。

「とりあえず十年は辞めずにいて欲しい」と最初に言われたのと、「まあ、十年やれば何かやったと言えるだろう」という気分で決めた十年。

僕自身はここでたくさんのことを学べたので良かったのだけれど、どれだけ役に立ったのだろうかと考えると、そっちの自信はあまりない。

辞めることを上司に告げてからあっという間に一年近くが経って、いよいよ残りはあと三ヵ月。

そんな話をすると「それで、次はどこへ行くの？」って聞かれるんだけど、そんなことは何も決まっていないし考えてもいない。

「何で辞めるの？」って聞かれてもうまくは答えられない。

十年経ったから辞めると最初にそう決めたからというのが根っこにはあるんだけれど、でもそれだけじゃない。

理由を探せばいろいろあるけれど、僕の役目は終わったと感じたのがやっぱり一番かな。

「外の風を持ち込んで欲しい」と言われてここに入ったけれど、いつのまにか外の風はあまり要らなくなっているようだし、僕自身も、外の風というより内側の隙間風みたいになっていて。

崖から飛び降りてから地面にぶつかるまでの間に飛行機を組み立てて飛び立つのがベンチャー精神というものらしい。

でも僕は、飛行機も飛び立つこともどうでも良くて、ただ崖から飛び降りる行為そのものを見せ続けたかったんだよね。みんなが躊躇している前で、ポンって気軽に飛んでみせる。それが外の風を持ち込むってことだと思っていたから。

でも、さすがに十年経つと、もちろん内側にはなりきれないんだけれど、だからといって、もはや外側でもない中途半端な存在になっちゃったなあって感じがする。

どうやっても内側になることは出来ないから、外の風でいられなくなったのなら、やっぱり僕の役目は終わったってこと。
今年の春からは、まったく地に足の着かない生き方をするつもり。
崖から飛び降りたはずなのに、いつまで経っても地面にぶつからない人工衛星のような感じでね。

シャーのふたが開いたらガンダムが出てくる。

ｉＰａｄの手書き入力って横書きしかないのが辛い。原稿用紙フォーマットに縦書きの手書きで入力して、そのままテキストに変換されるアプリを誰かつくってくれたら、３０万円までなら買うぞ、僕は。

綱渡りというか紐渡りというか、何もないところに橋があると信じて、信じている間だけは歩けている感じで生きてます。

湯船に生クリームをドバドバと入れて浸かりたい。上の方はカスタードクリームなら、なおよし。

ゲイリー・オールドマンのすごさは、若いときからオールドマンってことだよな。日テレの若井さんが、そこそこ年配なのに、ずっと若井さんだってのと同じことだな。

僕は人生のどれだけの時間をパスワード再設定メールの発行に費やしているのだろうか。あと、もう秘密の質問やめて欲しい。何度も何度も後悔してきました。

僕はクラウドファンディングにはやや懐疑的なところがあって、自分ではたぶんやらないだろうなと思っていたんだけど、最近、みんなで無人島を買うのならやってもいいなと思いはじめた。

感染せんか？（回文）

だじゃれ王もかくありたい。

◻立ち尽くす自信

大人としてはあまり褒められた態度ではないことは承知の上で、いま僕はできるだけ世の中のできごとから離れて暮らそうとしている。

海外ドラマ以外のテレビ番組は見ないし、ニュースサイトを積極的に開くこともない。ツイッターには大量のミュートワードを設定していて、流行の単語や強い主義主張の含まれているツイートが僕のタイムラインに流れてくることはほとんどない。

だから本当に今の世の中のことをよくわかっていないのだけれども、そうしているからこそ自分の妄想だけに集中できるのだし、それが今の僕にはけっこう大切なことだと思っている。

そうはいってもこの情報社会に生きる以上、完全にニュースを遮断することは難しくて、やっぱり多少はニュースらしきものが、ときおり僕の目にも飛び込んでくることがある。

まあ、そんな程度だから、どのニュースにしたって、これまでの文脈や経緯はわかっていないし詳しい内容も知らない。知らないことにいちいち反応する必要もないから、目の端に入ったニュースの欠片をただどこかへ追いやって忘れてしまえばそれでいいのに、そうもいかない場合がある。

なんでも今、沖縄の基地問題に関して官邸前でハンストをしている一人の若者がいるらしい。僕は彼の主張を何も知らないから、彼の考えが僕の考えに近いのか遠いのかもわかっていない。わかっていない上で、僕はその若者の凄みについて考えている。

自分の考えを誰かに伝えるために、あるいは多くの人に届けるために、さらにはそれを形にするために、僕たちはいろいろな手段をとる。けれどもその多くは既存の仕組みを利用したものだし、たいていは同じ考え方をする人たちと行動を同じくすることになる。

でも彼はたった一人だという。賛同者はいるにしても、たった一人でその場に居続けているらしい。たった一人で何かに向かって抵抗を続けているのかと考えるだけで、僕はその凄みに圧倒される。

僕が世界の理不尽に抵抗したいと考えるとき、世の中の何かがおかしいと感じたとき、たった一人で声を上げることができるだろうか。誰一人味方がいなくても、強い力を持つ相手に向かって堂々と立ち尽くすことができるだろうか。僕にその自信はない。せいぜいやったふり、言ったふりをしてごまかすに違いない。
　これは主義主張の問題ではなく、一人の人間が持つ勇気とプライドの話だ。僕は彼の名前も知らないし、彼の意見も知らない。それでも、ただ一人で立ち続けるその勇気には敬意を払いたいなと、目の端に届いたニュースの断片を見ながらぼんやりと、そう思ったのだった。

「ｎｏｔｅ」二〇二一年五月十五日

かつて某放送局の公式フェイスブックページにこんな文を書いたことがあった。もう存在していないので記録として、いくつかまとめて残しておこうと思う。

少しずつ続けるということ

「毎日フェイスブックにも何かを書きます！」と係の人に約束したので、何かを書かなきゃと思っているのですけれど長めの文章を書くのは、いろいろな面で緊張します（なによりも、うっかり正体がバレそうな気がして）。

特に、私が今やっている「別件」は、あまりユルい感じのことではなくて、どちらかと言えば、すごく緻密に、繊細に考えながら進めなければならないことなので、頭の片隅にずっとその感覚が残っていて、長めの文章を書くと、どうしてもそのことが滲み出してきそうなんです。ああもう、なんだかちょっとトーンが落ち気味になってきた。

あるひとから教えて頂いたのですが、一昨年の十一月にツイッターのアカウントを開始して以来、私が書いた文字数は一七五万五千三百文字ほどになるそうです。四〇〇字詰めの原稿用紙にすると四千三百枚あまり！　自分でもびっくりです。毎日の積み重ねってこういうことなのだなあと実感しています。

一日に出来ることは限られていても、続けていれば、いつか何かを生み出せるということなのでしょうね。

今、震災のためにたいへんな思いをされている方たちが、短い距離かもしれないけれども、最初の一歩を踏み出せるように、そしてその一歩をずっと続けられるように、ほんの少しだけでもお手伝いが出来ればいいなと思っています。

まあ、私の場合はこの一年半に積み重ねたものが「ナカノ ヒト ナド イナイ」なので、いくら積み重ねても「イナイ」わけで、これを積み重ねることに意味があるのかどうかは、やや微妙ですけれど。

答えのない問題

毎日の生活の中で、私はいつでも何かを選びながら暮らしています。生活に大きく影響する選択もあれば、お昼に何を食べようかといった小さな選択もあります。そうやって毎日いろいろなことを選んできた結果が、今ここにいる私になっているのだと思います。

二つの道を同時に歩くことは出来ませんから、自分の選んだことが正しかったのかは誰にもわかりません。いつも私は、何かをするたびに、もう一方の道を選んでいたらどうなっていたのだろうと想像して後悔します。でも、もう一方を選んでいたら、やっぱり後悔するのかも知れません。きっと、どこにも答えはないのでしょう（きっと、この文章も投稿したとたんに後悔すると思います）。

答えのない問題を解くことに私たちはあまり慣れていません。というよりも、答えのない問題があるということを、忘れがちだと言ったほうがいいのかも知れません。問題には答えがあって、たとえ自分では解けなくても、きっと誰かが解き方を知っていて、その人に聞けば教えてもらえると、つい思ってしまいます。

でも毎日の暮らしの中で、答えのある問題なんてほとんどないということも、本当は私たちだってよく知っているはずです。

今、人類が体験したことのない問題を解こうとしている人たちがいます。誰も教えてくれる人がいない問題を、なんとか手探りで解こうとしている人たちがいます。私だって、思うところはたくさんありますし、言いたいこともたくさんあります。でも私は答えを知りません。解き方を知りません。ですから「こうしたほうがいい」ということは出来ませんし「間違っている」ということも出来ません。

だからこそ、答えを知らない私は、今は静かに彼らを応援したいと思っています。

f PRのこと

「NHKPR」というアカウントについて「ぜんぜんPRしていないんじゃない?」とよく言われるのですが、NHKPRの「PR」はパブリック・リレーションズという意味なので、あのアカウントでは「宣伝をする」ことよりも、皆さんと積極的にコミュニケーションをとることを本来の目的にしています。もちろん番組やNHKの活動についての宣伝も行いますが、それはあくまでも「PR」のための手段に過ぎません。宣伝が目的ではありませんし、私自身あまり宣伝をしているというつもりはないんです。

広告は、企業側が「私たちはこういう者です」と自分たちが考えているイメージをお伝えするものですが、広報は、皆さんの中にある「あの企業ってこうだよね~」というイメージをつくる仕事です。

私の理解では「広告:私の話を皆さんに聞いて欲しい!」「広報:皆さんと仲良くなって好かれたい!」みたいな感じです。

アンケートなどを見ると、一般的にNHKは「マジメ」「お堅い」「つまらない」

といったイメージを、多くの方に持たれています。「マジメ」も「堅い」も私たちがすごく大切にしていることの一つです。ですから、そのイメージを大きく変えることなく、それでも少しだけ「新しい何か」を加えて「あ、ＮＨＫってそれだけではないんだな」と感じてもらえると嬉しいなと思いながら、日々の業務を行っています。

「皆さんが持っているＮＨＫのイメージを再構築して、よりよい関係をつくること」それが私の本来業務なのです。

言葉と想像

人が会話をする時に、何を話すのかはとても大切なことです。けれども同じ言葉でも、どのような口調で、あるいはどのような表情でその言葉を発したのかによって、受け取る人の印象は変わります。同じ「お茶」というひとことでも

「(今日はお疲れだったよね、はい) お茶」

と言う場合と

「(さっきからずっと頼んでいるのに、まだ持ってきてくれないのか!) お茶」

と言う場合では、まるで違うトーンになるでしょう。

特に表情と言葉が矛盾する場合には、受け取る側に与える印象は大きく変わります。

単に言葉を伝えるだけではなく、その言葉を発した人の表情を見せること。これまでテレビはそういう役割も果たしてきました。

ツイッターにしてもこのフェイスブックにしても、コミュニケーションに使えるものは文字だけです。実際に会って話をすれば、伝えられるはずの情報が抜け

落ちているのです。だからこそ、顔文字や絵文字、記号などを使って、文字だけの情報に言語外の情報を付け加えようとするのです。

ですから、文字から受け取った内容に、トーンや表情をつけるのは受け取る側になります。その言葉がどんな表情で発せられたのかを、文字だけから読み取るのはとても難しいことです。

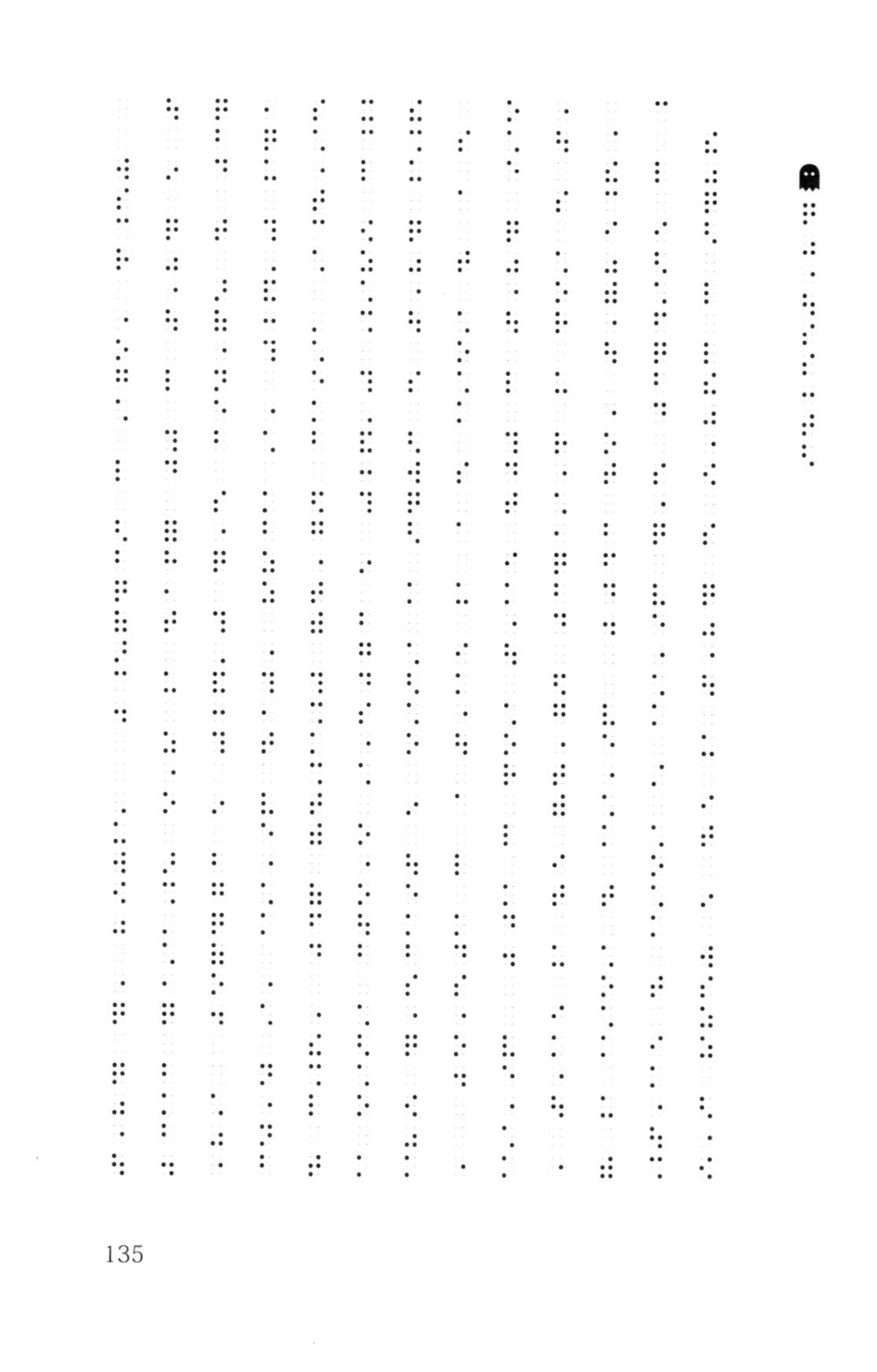

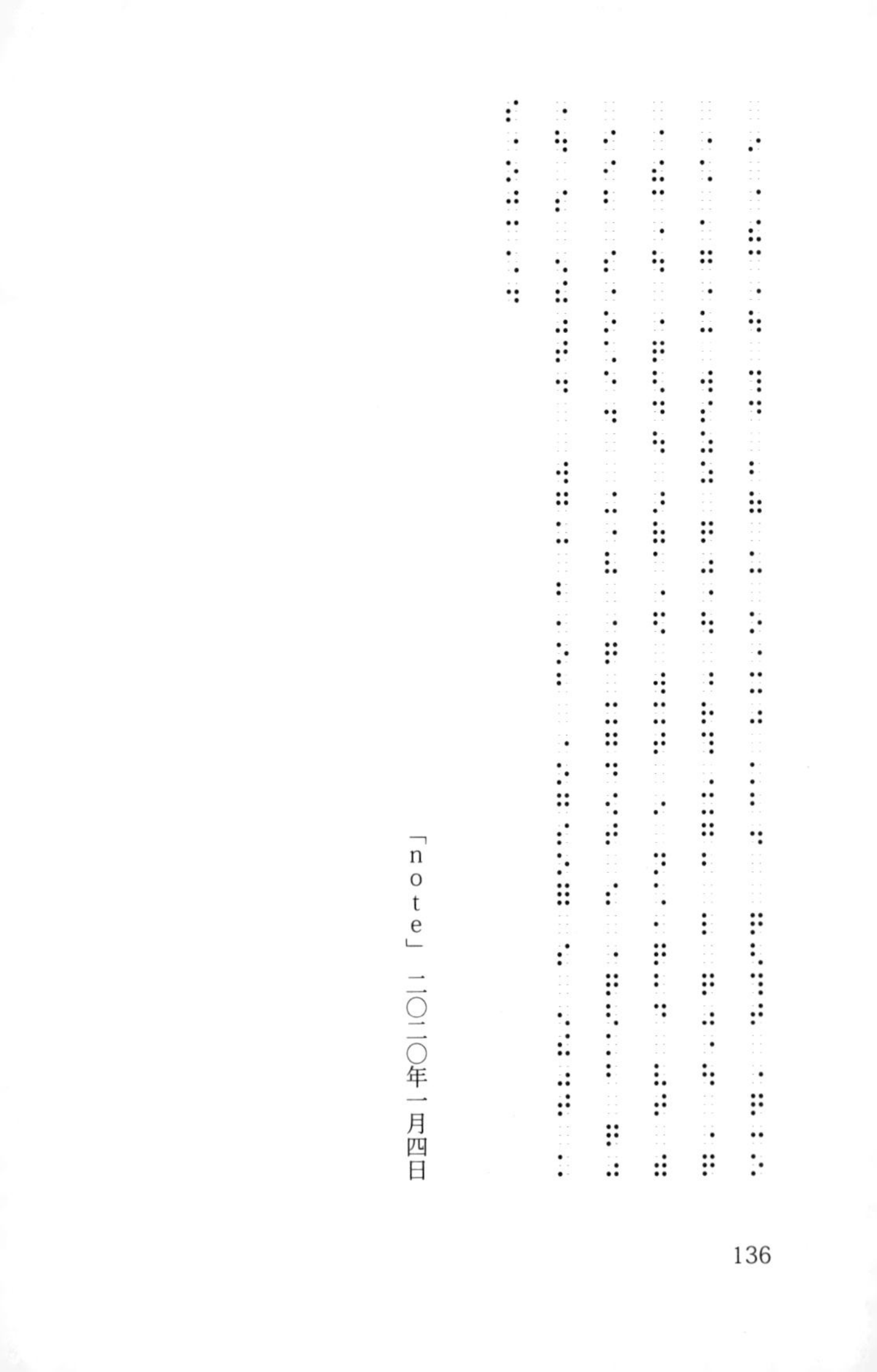

「note」二〇二〇年一月四日

❏もう一方の目で

今読んでいる本や、お気に入りの音楽や、好きな映画を紹介したあと誰かを指名すると、指名された人がまた同じように好きなものを紹介して、さらに次の人を指名する。そんな、バトンやリレーと呼ばれるアクションが薄っすらと僕の周りで流行っているようで、僕も何人かのご指名をいただいた。せっかくご指名していただいて申しわけないと感じているものの、僕は思うところあってそういったアクションには基本的に参加しないことにしているので、回ってきたリレーは僕のところで止まっている。

小さな映画館を救済するファンドが立ち上がり、書店を支援するための基金が生まれ、実際には行かないのだけれども行ったつもりでチケットを買う音楽ライブがあって、いずれ使う日が来ることを想定した飲食店やホテルの前売りクーポンが売られている。そのうちのいくつかは僕も支援をしているし、それまであまり関わりあいのなかった店のクーポンを買ったり、商品を取り寄せたりもしている。

こうしたリレー遊びやファンドやクーポンは、もちろん以前からあったサービスだけれども、この状況だから大きく育っているもので、どれも今このときをどう過ごすか、どう乗り切るか、あるいはものによってはどう暇を潰すかという視点で設計され、運用されているように思う。

人には危機回避の仕組みが備わっている。

不意にライオンに出会えば、戦うか逃げるかのどちらがいいのかはさておき、とにかく身を守るために普段の力を超えた能力が心にも体にも求められるから、僕の体内にはアドレナリンが分泌される。交感神経を興奮状態にして、目の前の危機をとりあえず乗り切ろうとする。それが僕の体に組み込まれている危機回避の仕組みだ。

同じように人間社会そのものにもアドレナリンに似た何かがあるようだと僕は感じることがある。大きな問題が発生すると僕は興奮して勢いづき、ときには必要以上に盛り上がって一気にものごとを進め、そして時間が経つにつれて自然に離れていく。あるいは疲れ切って手を離すことになる。

僕はリレー遊びやクーポンの販売やそのほかの今行われている様々な取り組み

の多くが、このアドレナリンが分泌されている状態になんとなく似ているように感じていて、それは短期間の戦いや逃走には向いているけれども、いつまでも継続できることではないから、いずれアドレナリンが尽きたときのことを考えておかなければならないような気がしている。疲れ果ててしまう前に。あるいは状況に飽きてしまう前に。

この面倒なウイルスの蔓延が収束したらという前提でものごとを考えるのはアドレナリンで乗り切るのと同じことだから、これが収束したら、ウイルスを撲滅できたらではなく、いつもどこかにウイルスが存在した状態のまま社会や文化を円滑に回していく方法をなんとなく考えておきたい。いや、社会や文化なんて大きな話じゃなくて、ウイルスと共存しながら僕の暮らしと健康を守る方法を考えておきたいのだ。

これまでだって、人類にはいろいろと厄介なできごとが起きて、そのたびに結局はその厄介ごとを織り込んだ形で社会は形づくられてきたのだし、今回もそうなる可能性はあるだろう。

悲観的すぎる？　そうかもしれない。それでも一つのシナリオにしがみついた挙句に、突然シナリオが変わってしまったと慌てるよりは、複数のシナリオを用意しておいて、どのシナリオが訪れてもある程度は身軽に動けるようになっておきたい。

現実は僕の行動を固定する。現実的になればなるほど僕の行動は縮小再生産されてしまうから、現実を片目で見つめながらも、もう一方の目では遥か遠くにはいったい何があるのかを静かに探しておこうと思う。

王様の夏。OH!　サマー!

僕は、出会った女性は全員覚えています!　いったい誰なのかは覚えていませんし、再び会ってもわかりませんし、気づきませんが。

スピードと体重はなかなか下がらないのに銀行残高だけはどんどん下がっていくの不思議。

牡羊座のあなた。今日のラッキーアイテムはジンギスカン。

マックで高校生が「浅生鴨の本を2冊買ったら、その日のうちに彼氏ができた!」って言ってた。で、「もう2冊買ったら、もう1人彼氏ができた」って。

例の小惑星、いつのまに来て帰ったんだよ。ちゃんと不在届を入れていけよ。

手書きなら絶対にまちがわない感じを、パソコンだと平気でまちがうからパソコン歯きらい。

ソーラーパワーの時計は光がないと動かなくなるんだよ。

油田はいろいろめんどうくさいですよ。

半チャーハン2杯。なんと言う?

はて。わしはずっと一人称にはおいらを使ってきたのじゃが。あらいやだわ、社長さんったら。

僕のスマイルは0円!

原因はさておき、

鼻血などというものは出るときには出るものであって、

僕などは子どものころからわりとよく出していたほうだから、

たまに出てもさほど気にすることはない。

一人の人間が一生のうちに何度鼻血を出すのかは知らないが、

多くの人を平均すれば一度や二度ではすまないだろう。

ましてあれだけの人がいれば

何人かは鼻血など普通に出していてもおかしくないのに、

これまで鼻血が出た者など一人もいない、

聞いたことがないと断言することには無理があるし、

それが本当であればむしろそのほうが異常事態である。
本当は出ているのに出ていないというのは
そこに言い辛い雰囲気があるからである。
転んで頭を打っても鼻血が出たとは言えない雰囲気は、
危なくないものを危ないと騒ぎ立てるのと同様に
目の前のものごとを見誤らせる。
せっかくのいい機会なのだから
行政は丁寧な聞き取り調査をすればいい。
安心や安全とはそうやって
少しずつ獲得していくものなのだ

☐ほんの少しの上質のために

基本的にものごとはアウトプット＜インプット。

アウトプット＞インプットにするのは増幅だから、つまりエネルギーが要る。

インプットがほとんど無いままアウトプットばかりしている人を見るたびに
ノーシグナルを無理に増幅しているのだなあと思う。

そのエネルギーは、どこから持ってきているのかとも思う。ノーシグナルをどれだけ増幅してもシグナルにはならない。そこで増えるのはノイズだけだ。

ああ、だから。自分自身のものも含めて、やたらめったらまき散らされている大量のアウトプットをうるさく感じるんだな。

いずれにしてもアウトプットはインプットからしか生まれない。たくさんの上質なインプットを、ほんの少しの上質なアウトプットのために。

今夜はゆっくり本を読む。

———

眉眉眉眉眉　　眉眉眉眉

目目　　　目目
目　　　　目

鼻
鼻
鼻鼻

口
口　　　　　口
口口口口口

♪ 無意味

借りてきた言葉をならべ
かっこよく見せかけたって
空っぽの自分のことは
誰よりも知っている

忘れてたあの日のことを
思い出したけど今さら
逃げ出した自分の過去は
変えられずうなだれる

集めた欠片　光に透かし
いつかの君を浮かびあがらせ
開かないドア　鍵を無くした
どこにも行けず未来を抱いた

フレーズを（フレーズを）
繰り返すのが（繰り返すのが）
いちばん　無意味

それでも（それでも）
繰り返したら（繰り返したら）
いつかは　You and Me

言うべきことを言うべきときに

僕のツイートは投稿してから三日経つか、投稿数が三十ツイートを超えると自動的に削除される設定にしてあるので、しばらくたつと消えてしまう。

それはもちろんわけあってそうしているのだし、むしろ消えることを良しとしているのだけれども、ここ数日間のツイートは、他でもない未来の自分へのメモとしてここに残しておく。僕は言うべきことを、言うべきときに、言ってこなかったから。

三月二九日

各国の状況を見ればこのあと何が起きるかは概ね予想できるし、たぶん東京のロックダウンは避けられないだろう。やるならできるだけ早い方がいいのに、補償の問題などで二の足を踏んで、決断しないままずるずる引き伸ばすと手遅れになりそうで怖い。

「ぎりぎりの状況」だとか「お願い」だとか、そんな曖昧な言葉はいらなくて、少なくとも、ロックダウンした場合には何が可能で、何がダメで、どんなときにどう行動するべきなのか、それはなぜなのか、といった一連の指針やルールとその目的を、具体的に伝えてほしい。

三月三〇日

電車に乗っていないからわからないけれど、今日もまだ満員電車なのだろうか。本当に早く人の往来を止めないと大変なことになる。これまでいろんな問題に対して、決断をずるずると先延ばしにして逃げ切ってきた人たちに決断できるのか不安だ。

まだワイドショーもニュース番組も、一つのテーブルに何人もが座っている映像を映していて呆れて果てる。きちんと距離をとらせるとかオンラインで出演させるとか、画面のデザインで正しい振る舞いを見せなきゃいけないのに何をやっているんだろう。メディアの責任。

四月一日

いざというとき、たとえそれが貧乏くじだとわかっていても、進んでその貧乏くじを引きに行って、ダメージを最小限に抑えながら、それでも避けられないダメージの、その責任をとるのがリーダーなんじゃないのか。そのためにリーダーはいるんじゃないのか。そのために僕らは任せているんじゃないのか。

どうせ貧乏くじなんだ。中途半端に保身など考えず、その手でくじをがっつり引けよ。

四月二日

今まで引き延ばすことであらゆる問題をごまかしてきた人たちに任せていたらえらいことになる。瀬戸際ってさ、防げるから瀬戸際なんだろ？　超えてからじゃ防げないいんだよ。

四月四日

これまで僕たちが長年にわたって、ごまかしてきたこと、目をつむってきたこと、逃げていたこと、うまくいっているように見せかけていたことが、ここ数ヶ月の間で一気に露呈してきた感があって、言うべきことを言うべきときにちゃんと言ってこなかった自分自身に少し腹が立っている。

今、僕はどうしても九年前のことを思い出してしまう。モニタの向こう側で助けを求める人を助けられずにいた絶望的な無力感。でも今回はあのときとはちがう。守ろうとする意思があれば、少なからず守れる命があるのだ。各国の状況を見ればわかることで、それなのに、なぜ早く手を打とうとしないのか。

少なくない医療者がSNSなどで懸命に声をあげている。中には悲壮感の漂う言葉さえある。なぜ個人にやらせるのか。その声を広く正しく届けるのが国のやることじゃないのかと思う。パニックに至らぬよう段階を踏んで、具体的に、そして包み隠さず伝えてほしい。

四月五日

ほんの二週間前までは「東京オリパラは、予定通りの開催を目指す」とか言ってたんだよな。

「家にいろ。外に出るな。このまま医療機関が崩壊したら多くが死ぬ。人を救うために家にいろ。生活が不安なのはわかる。ちゃんと生活は守る。金は必ずなんとかする。だから信じて家で待ってくれ」そう言ってくれさえしたら、たとえ強制力がなくても多くの人は外出を控えるだろうと思うんだ。

その金は、経済や景気を維持するためのものではなく、人の命と暮らしを守るための金なのに、今もまだ「景気対策」だとか「経済支援」なんて言葉を使った議論がなされている。「私がみなさんの命と暮らしを守ります。だからあなたの一票を」と言われて投じた票は無駄だったのか。

もし、このあと病床が完全に飽和して、人工呼吸器などの高度医療機器が不足した段階で、国会議員や大臣が感染して重症化したら、どういう対応がなされるのだろうと不穏な想像をしている。もちろん医師たちは公平公正な医療を心がけようとするだろう。でも、誰かが押しのけられるのではないだろうか。

直接コロナ感染症の治療にあたっていなくとも、外科医や麻酔科医が感染して陽性になれば、ほかの多くの病気やケガの手術ができなくなってしまう。透析ができずに困る人も出るだろう。医療体制を守るというのは、コロナ感染症の患者だけではなく、もっと遥かに多くの命を守ることなのだと思う。

「津波が来たら、とにかく高台へ逃げる」それと同じように「今はとにかく外出しない。移動しない」それだけ。悲壮感を漂わせろってことでも楽しむなってことでもない。できるかぎり家にいることに注力する。人との距離を保つ。医療崩壊を防ぐ。そのために個々の生活基盤を補償してくれ。それだけ。

明日になれば、また大勢の人が電車に乗って通勤する。

四月六日

医療関係者がんばれ。僕には何も手伝いができないから、とにかく余計な負担をかけないようにする。終わったら温泉旅行だからな。全員ぶんは無理でも精一杯寄付するからな。

薄い皮膚一枚で世界と切り離されたまま、それでも世界と交通することを諦めずにいる。知らず識らずのうちに世界が染み込んで来ないように、どうにか保っていたものがふいに溶け出さないよう、自分の心の内側をしぶとく観察しながら。

「津波が来るから高台へ逃げてください」と書き続けたときのことを、なぜか急に思い出して吐きそうになっている。

商店・個人事業主への補償を単純・明確化してください。あそこが閉めたからうちも閉めなきゃとか、あそこだけ開けていて卑怯だ、みたいな世論をつくらないで。先のV時回復より今この瞬間を支えないと、みな生きるために死を撒き散らすことになる。不安定な雇用をつくり続けてきた責任から逃げないで。

「補償を」と書けば「財源は?」とか「高所得者にも?」とかいろいろ言う人がいるけど、こっちには関係のない話。なぜ向こうの都合を考える必要があるのか。僕たちはただ口々に自分の要求をすればいい。その要求をまとめて調整して、なんとかするのが政治の役目。そのために僕たちは彼らを雇っている。

補償を曖昧にしたまま自粛が強化されたら、本当に死ぬ人が出る。感染症ではなく政治に殺される。老人漂流社会とか老後破産とかミッシングワーカーとか、これまでそういう番組に関わりながらいつも感じていたのは「誰かがちゃんと声を上げないと無いこと/いないことにされてしまう」という非情。

「雇用を守る」のはもちろんだけど、この国で暮らしているのは「被雇用者」だけじゃない。特に小さな商店の多くは日銭商売だから「雇用を守る」では守れない。今は「経済」や「雇用」ではなく「命と暮らし」を守ってほしい。クーポン券の名前を考えている暇があったらそっちに知恵を絞ってほしい。

□体は弱いのにタフ

いっこうに風邪が治らない。熱が下がって少し咳が治まったら、すぐに「ほら、もう治った」と薄着でウロウロするのだから当たり前だ。子供か。

考えてみると十一月の頭に体調を大きく崩して、病院へ通い始めたあたりからなんとなく不調が続いている。僕はもう十数年、毎月血液検査をしているから、何かあればかなり早い段階でわかる。わかれば悪化しないように気をつけるのだけれども、この秋にあまりよくない数値が出たので、かなり気をつけているのに、数値はどんどん悪くなっていて、長年僕を診てくれている医師もちょっと険しい顔になっている。

「歳をとって、いろいろと体の機能も低下しているから、若いころと同じように気をつけてもダメなのです。若いころ以上に、もっと気をつけないとダメなのです。鴨さんはそもそも弱いんですから無理しないように」

そうなのだ。僕は自然治癒力、つまり免疫力と維持力と再生力の三つ、が普通の人よりもかなり弱いので、ケガはもちろん、ちょっとした風邪をひいてもなかなか治らない。

ところが、これが奇妙な話で、治癒力は人よりも弱いのに体力は人一倍あるから、なんともバランスが悪い。体は弱いのにタフという不思議な体なのだ。タフだから自分が疲れていることに気づかず平気で無理をしてしまうのだけれども、その無理はどんどん未来を前借りしているようなもので、莫大な利息を払わないと元には戻らない。

わかってはいるのだが、目先にやるべきことがあると、どうしてもタフな僕が前に出てきてしまう。タフな僕は自分が平気なものだから、後ろにいる弱い僕のことなどあまり考えてはくれない。

ともあれ今は、悪くなっている数値がこれ以上悪くならないよう気をつけるほかない。

「ｎｏｔｅ」二〇一九年十二月十五日

□博士は躊躇いがちに言った

小説を書いているときに僕がいつも感じるのは、映像作品との違いです。

「実は、発見をしたのは私なんだ」

博士は躊躇いがちに言った。

「ええっ？　それって本当なんですか⁉」

その言葉を聞いて、クラスの生徒たちが一斉に叫んだ。

この文章をそのまま映像で表現することはかなりの難題です。僕にはちょっと表現方法が思いつかないほどです。いったいなぜこの文章をそのまま映像では表現できないのかがわかる人は、たぶん映像作家としての素質があると思います。

映像や音楽は時間芸術と呼ばれています。一方向に流れる時間の性質を利用してイメージを伝える表現形態だからです。

その一方で、文芸は時間を遡って他人の記憶を改竄していく表現形態ですから、単純に置き換えられないのは当たり前です。ところが僕たちは文芸作品を読むときに自分の記憶が改竄されていることになかなか気づきません。

言葉の性質上、文芸作品は常に現在から過去を改竄し続けます。読み手の記憶を利用して細かなタイムスリップを続けているのです。そこに気づけば、映像との違いがはっきりとわかるはずです。

「実は、発見をしたのは私なんだ」

博士は躊躇いがちに言った。

この場合、最初のセリフを読んだときにはまだ発言者の情報は与えられていません。僕たちはまず脳の中で無人格の存在による発言をイメージし、そのあと二行目を読んだ時点で発言者のイメージをつけ加えているのです。

クラスの生徒が一斉に叫ぶところも同様です。

「ええっ？　それって本当なんですか!?」

この時点ではまだ発言者は確定していません。

「ええっ？　それって本当なんですか!?」

その言葉を聞いて、クラスの生徒たちが一斉に叫んだ。

二行目を読んで、ようやく多数の若者が声を揃えて発言したことがわかりますが、なぜかこれを読んだ瞬間、僕たちは先のセリフが多数の発言によるもの「だった」と過去をイメージします。

「ええっ？　それって本当なんですか!?」

その言葉を聞いて、吉川が叫んだ。

でも、二行目がこうなる場合だってあるのです。それなのに一行目を読んだ時点で、すでに二行目の人物が発話していたかのように感じています。それは脳が時間を入れ替えて、過去の記憶を改竄しているからなのです。

これで、どうしてこの文章を「そのまま」映像にすることが難しいのかが、おわかりになったでしょう。

映像作品では意図的に隠さない限り発言者が確定します。コンテを描けばすぐにわかることですが、文章に書かれたとおり「そのまま」映像化するには、まずセリフを聞かせたあとで発言者を示さなければなりません。しかし、例えば二つ目のセリフの場合、声を聞かせた時点で発言者がクラスの生徒たちなのか、吉川なのかが確定してしまうのです。

映像作品では、あとから時間を遡って視聴者の記憶を改竄し発言者をつけ加えることは出来ません。それは文芸にしか出来ない表現方法なのです。

博士は躊躇いがちに言った。

「実は、発見をしたのは私なんだ」
その言葉を聞いて、クラスの生徒たちが一斉に叫んだ。
「ええっ？　それって本当なんですか⁉」

これは発言者を先に固定する方法です。絵本や児童小説などでよく使われている手法です。おそらく子供の脳では記憶を改竄するだけの時間管理がまだ充分に発達しておらず、先に発言者を確定しないと前後関係が混乱してしまうのでしょう。そのため、子供に物語を伝える際にはこの手法を採ることが多いのだろうと推測しています。

つまり、人は大人になるにつれて記憶を改竄する能力が発達するのだとも言えます。人は自分の記憶を自由に改竄します。それについては、誰もが経験しているのではないでしょうか。

……と、ここまで書いたものはぜんぶデタラメです。ふだん僕がぼんやり考えていることを思いつくまま適当にそれっぽく書いた嘘八百です。きちんと先行研究を調べたわけでもなく、学術的な裏付けもありませんから、けっして鵜呑みにしないようご注意を。

寝ます。寝るしかない。あとお風呂。お風呂しかない。それとお寿司。お寿司しかない。

「けっこうなお甘えで」

決算が赤字でもモノクロプリンターで印刷すれば黒字。

「ごちそうさま」は、高速道路の料金所で言ったことがある。

脂肪遊戯

スイカスイカスイカスイカスイカスイカスイカスイカババババババババー!!!!

僕はあそぶかねを増やしたい。そのためには、あそぶかねを増やしたいのです。

布団が沸騰した。

ただいま弊社では、濡れ手に粟の案件、棚から牡丹餅の業務、ほとんど何もしないのにたくさんお金をくれる仕事を募集しております。どうぞ遠慮なくご用命ください。

「どうして私が怒っているかわかる?」「う〜ん……、ヒントちょうだい!　ヒントを!」(よけいに怒られるパターン)

優秀な人、センスのある人、素質のある人は、たとえ独学をしても、その途中で「ああ、これだけでは足りないのだ」と気づき、直接的であれ間接的であれ、信頼できる師について学ぼうとするだろう。

□とりあえず今はやらない

これはやらないと決めていることが僕にはいくつかあって、最近ではふるさと納税と、何かのプロジェクト資金を募るためのクラウドファンディングは、今のところやらないでおこうと決めている。

僕は別にふるさと納税やクラウドファンディングそのものを否定しているわけじゃない。やっている人はたくさんいるし、それでものごとが上手くいったり、誰かがハッピーになったりするなら、どんどんやればいいと思う。実際、大手クラウドファンディングのプラットフォームで、僕もいくつかのプロジェクトを支援している。

だからこれはあくまでも僕は自分ではやらないという話だ。詳しくは書かないけれども、そこにはもちろん僕なりの理由やら信念やらマイルールがあって、どうもそのマイルールにこれらの仕組みは合っていないのだ。

損得勘定とマイルールを並べたときに、本当は損得からものごとを考えるほうがいいのだろうけれども、どうも僕はマイルールを優先しがちで、ふだんは人の意見にすぐ流されるくせに、どうしてそういうところだけは意地を張るのか自分でもよくわからない。よくわからないけれども、マイルールに合わないのなら、それはやらない。そう決めているのだ。

もっとも、いつか何かの弾みでうっかりやってしまったら、マイルールなど吹き飛んで、すぐ夢中になるかもしれないのだけれども。

『ｎｏｔｅ』二〇二〇年一月十四日

❏酒は禁止しないのか

「ポケモンＧＯ」に関しては、なんだかいろいろな理由を並べて、だから危ない禁止しろと言う人たちがいて、彼らの言いたいことはわからないでもないけど、でもそれって道具じゃなくて人の問題だよね。

運転しながら雑誌を読んでいるトラックドライバーもよく見かけるけれど、だからといって雑誌は禁止されないよね。やっちゃいけないことをやるのは、モノではなくて人の問題。行為の問題。

なのに新しいものやサービスが出てきたときには、なぜかメディアはモノが悪いって話にしたがるからモヤモヤする。

道具の問題だと言うのなら僕は酒を禁止して欲しい。

酒が原因でどれだけ悲しい事件が起きているか。

■家族としての犬猫の姿

写真にはいったい何が写っているのだろうかと、僕はときおり考えることがある。難しく言えば、物体から届く反射光を集めた実像が写っているのだろうし、もっと僕たちの日常的な感覚で言えば、シャッターを押した瞬間にレンズの前にあったものが画像として残されているとでも言えばいいだろうか。言葉通りに言えば、写真には被写体が写っている、と言うのが一番簡単な答えだろう。でも、と僕は思う。写真には、たぶんそれ以上のものが写っているように思うのだ。

「ドコノコ」というスマートフォン用のアプリがある。糸井重里氏の主宰する「ほぼ日」がベースとなって展開されているSNSで、何を隠そう、僕も運営の一端に関わっている。

もともとは、身寄りのない犬猫や迷子になった犬猫に、きちんとした居場所を与えてやれないだろうかという発想から開発の始まったアプリで、すべての犬猫に所属先があれば、あるいは、所属先はなくともいつも気にかけてくれる人がいれば、命を落とす犬猫の数を、せめて今よりは減らせるはずだという考え方がその基本にはある。

とはいえ、いくらアプリでそんな堅い話をしたところで使ってくれる人がいなければ何の意味もないから、その考え方はアプリのあちらこちらにこっそり潜ませるだけにして、ふだんは単に犬猫の写真を投稿して楽しむSNSとして使えるようになっている。

自画自賛になってしまって恐縮だけれども、このアプリの良いところは、あくまでも犬猫を主役にした点だと僕は思っている。フォローする相手は人間ではなく犬猫だし、一般のSNSではあたりまえになっている人間同士のやりとりはあまりできないような工夫もしていて、できるだけアプリの世界から人間の気配を減らすようになっている。つまり「ドコノコ」は人間と人間を直接つなげるのではなく、必ずその間に犬猫をはさむSNSなのであります、はい。

人と人との間に犬猫がはさまっていると、人間同士ならつい発生するギスギスした感情やトラブルが、もちろん起こらないわけではないものの、かなり少なくなるからおもしろい。

この「ドコノコ」が公開されてからまもなく三年近くが経つのだけれども、今では二十数万のユーザーが毎日のように写真を投稿したり他のユーザーの投稿した写真を眺めて楽しんだりしていて、僕はそうした様子を見ながら、なんだか犬猫を通じてつながる一つの優しいコミュニティが出来つつあるような気がしている。

「ドコノコ」に投稿される写真は、もちろん犬猫の写真ばかりなのだけれども、広告モデルのように整った美犬美猫はほとんどいない。犬猫たちは、ただ寝ていたり、ごはんを食べていたり、欠伸をしていたり、ものを壊していたり、散歩を嫌がって抵抗したり、ほめられて喜んでいたり、なぜか立ち上がっていたり、やっぱり寝ていたりする。

そこには、あくまでも普通の犬猫の日常の姿があって、そしてたぶんそれこそが生き物としての犬猫ではなく、人間とともに暮らす家族としての犬猫の姿なのだろう。

あらためて考える。写真にはいったい何が写っているのだろうか。写真を撮るのは人間だ。もちろん「ドコノコ」に投稿される写真だって人間が撮っている。もしかすると、その写真にはともに暮らす犬猫たちを心からかわいいと思っている気持ちが写っているのじゃないだろうか。僕はそんなふうに感じている。照れることなく言えば、写っているのは愛情なのだ。写っているのは犬猫ではなく、その犬猫を優しく見つめる人間の眼差しそのものなのだ。

そんな写真の中から選りすぐりの写真をまとめたフォトブック『ドコノコの本　犬と暮らす』と『ドコノコの本　猫と暮らす』が発売される。つい紙を指先で撫でたくなるようなかわいらしい姿から、思わず噴き出してしまうような珍妙な姿まで、普通の犬猫たちの普通の日常がたっぷりと詰まった本になった。この本は、家族アルバムを見るように、ワイワイとみんなで突っ込みながら眺めてもらえると、きっとより楽しんでもらえるんじゃないかかな。

新潮社「波」二〇一九年五月号

□違いのわかる男が選ぶのだ

もうずいぶん前に奮発して買ったエスプレッソマシンがあるので、仕事場では豆を挽いて淹れたラテをつくって飲んでいるのだけれども、実を言えば僕はインスタントコーヒーが大好きなので、家にいるときにはインスタントコーヒーばかりを飲んでいる。

家の人は僕がインスタントコーヒーを飲もうとすると「あ、偽物のコーヒーね」と馬鹿にするのだが、インスタントコーヒーは決して偽物なんかじゃないし、下手な淹れ方をした「本物のコーヒー」よりもずっとおいしいと思っている。

なにせその道のプロがちゃんと淹れたコーヒーなのだ。それをただ乾燥させているだけなのだからおいしいに決まっている。だから、違いのわかる男が選ぶのだ。それなのに、なぜかインスタントコーヒーは、インスタントコーヒーというだけでどこか小馬鹿にされているような気がするから切ない。だいたい、なにがレギュラーコーヒーだ。レギュラーなんて、普通って意味じゃないか。普通が美味いのか。そんなもので満足か。バーカ、バーカ。

いかん。無駄に興奮してしまった。

インスタントコーヒーは、たぶんインスタントという名前で損をしているのだと思う。名前から受ける手軽で簡単なコーヒーというイメージが、全体を軽く思わせてしまっているのだ。飲む僕たちにとっては確かに手軽だけれども、つくるのは決して手軽じゃない。

製造に使われるフリーズドライ製法、つまり真空凍結乾燥技術を知ったときには、おおこれぞ科学だ、なるほど応用物理だと感激したし、その巨大なタンクを覗き込みたいと思ったほど、僕はインスタントコーヒーには肩入れしているのですよ。

もしもこれがフリーズドライドコーヒーだとか、フレッシュネスコーヒーといった名前だったら、こんな苦汁を嘗めることはなかったのだ。こんな辛酸を舐めることはなかったのだ。それなのにうっかりインスタントと名付けてしまったばかりに偽物呼ばわりだよ。どうしてくれるんだよ。ああもう、腹が立つ。なにが本物のコーヒーだよ。こっちは違いのわかる男なんだぞ。

いかん。また無駄に興奮してしまった。

特に書くことがなかったとは言え、どうしていま僕はこんなにインスタントコーヒーのことを熱く書いているのか、自分でもだんだんわからなくなってきた。
とりあえずコーヒーを淹れてくることにする。

ワーゲンビートル3回見るといいことがあるんだけど、赤いのを見たらリセットですよ。

ヒゲも髪も伸び放題でクマみたいになってたので美容師さんに「好きにしていいよ」って言ったら、めちゃくちゃ楽しんでもらえたので、またしばらく放置します。

替え玉を頼むと元の麺と追加した麺が互いに打ち消しあって実質カロリーがゼロになります。

競艇場でタバコ吸いながらワンカップ飲んで、編集者からの原稿催促の電話に「あとにしてくれ！今勝負中なんだよ！！」って叫ぶのが大人の遊び方です。僕も今、酒とタバコを練習中です。なかなか難しいです。早く上手になって競艇場へ行きたいです。

リドカインが好きです。でも、テトラカインはもっと好きです。エスシタロプラムとニトラゼパムとフルニトラゼパムとエチゾラムとデュロキセチンを飲んでベッドイン。

警察から連絡があって何ごとかと思ったら「拾得物係にお財布が届いていますよ」丸2日間、財布を落としたことに気づいていなかったよ！

オンラインサロン「かもネギ」始めます。

ガンダムは、アムロレイがピンチに陥ったときに魔法の笛を吹くとやって来るが、地上では3分間しか戦えないのだ。

□日本選手ばかりを

もういちど引用しておこう。

「オリンピック競技大会は、個人種目または団体種目での選手間の競争であり、国家間の競争ではない（以下略）」（オリンピック憲章）。

日本のメダルがいくつだって喜ぶのもいいけれど、それだけじゃつまらない。オリンピックやパラリンピックは、世界には様々な国があり、それぞれの環境の中で人々が多様な文化を営み生きていると知る貴重なチャンスの一つ。そうした中でスポーツに打ち込み世界に出てくる選手たち。その背景を伝えずして、世界の多様さを伝えずして何を伝えるのか。オリンピックやパラリンピックはそのためにあるのだから。

メディアの皆さん、日本選手ばかりを礼賛しているようじゃ、二〇二〇年に間抜けな報道しかできないよ。

□未来よりも

わが家の近所には大学が二つもあるのに書店は僅か二軒しかないことに驚いていたのだが、数年前に大学に近いほうの小さな書店が潰れて、その時はより一層驚いた。

潰れなかったほうの書店で文藝家協会のアンソロジー集を買い求めたのだが、もちろん置いておらず、その本はありませんお取り寄せになりますと店員は言う。

こういう本はいわばお試しサンプルのようなものだから、きちんと情宣すれば読書を嗜む人の裾野を広げる可能性はあるのにこれをやらないのは、たとえやってもたいした数が売れないからで、裾野を広げて未来の読書好きをつくるよりも、今すぐ売れるものに力を注ぐほうが都合がよいからだろう。そしてまた書店も売れる本しか置かないからだろう。

そういえば、潰れたほうの書店には名著と呼ばれる類の本がたくさん置いてあった。

□やりながら

新しいことをやろうとすると「もしも何かあったらどうする」だとか「やろうと思えば、こういう悪用ができる」だとか、そんなことばっかり言う人がいて、それはそれで考えるべきことだとは思うけれども「とにかく始めてみよう」「まずは使ってみよう」「やりながら考えよう」のほうが楽しいから好き。

弊社の就労規定では「雨が降ったらお休み」なんだけど、今日は新事務所の電話工事があるので行かなきゃならない。休日出勤である。

科学的に「最」は使いづらいから「適正治療」あたりがよさそう。

弊社の書棚には『ゼロから学ぶ○○』って本が何冊もあって、ゼロはいくら足してもゼロなのだと実感しておる。

ノーマネー、ノーライフ

原稿用紙と万年筆とインクについて話すだけのイベントかライブ配信やりたい。

おせんべいをバリバリと噛んで食べて、奥歯にちょっと挟まるのが好き。それをとるのはもっと好き。

今からペヤング食べてもいい？　二個食べてもいい？

ねえ、お寿司にする？　お風呂にする？　それとも、お･す･し？

じつは僕は今、二つほど取得したいと思っている免許がある。一つは原付免許と大型自動車免許。あと牽引免許と大型自動二輪。それと飛行機。飛行機は固定翼と回転翼。この二つの免許を取りたい。

カワイサバクハツ！！

人は孤独な生き物。

□辛い気持ちになりそうなら

今夜九時に予定していた「Nスペ▽老人漂流社会団塊世代しのび寄る〝老後破産〟」は放送が明日になりました。今夜は「Nスペ▽緊急報告熊本地震活断層の脅威」です。辛い気持ちになりそうな人は、無理して見なくてもいいと思います。楽しい映画を見たり、お風呂に入ったり、本を読んだり、ね。

「ヘイ　Siri、僕の代わりに原稿を書いて」

なんで神様は世界を創るときに最初の1日でパパッとつくって、あとの6日間休まなかったのか！　おかげで僕らが苦労しているんだぞ！！

音楽と本は他に何もできないときがインストールに最適。音楽は運転時、本はお風呂。

「それは専門家たちに」とさんざん言ってきた揚げ句に、専門家たちから何か言われたら「いや、それはあいつらが勝手に言ってること」みたいな態度をとるのって、もはや何に喩えればいいのかわからん。果物とか野球に喩えたいんだけど。

通販サイトでお求めいただいた方に、先着でおつけしていたフエラムネ、終了いたしました。

3年前の今ごろ僕はピョンチャンでモルゲッソヨだった。懐かしい。

おまわりさんこの人です！　しょっちゅう全裸でうろうろしてるんです！　お風呂場で！！

何に書いたか忘れたけど、僕はダブルスタンダードどころじゃないぜ。意見も態度も、日によって相手によって次々に変わるマルチスタンダード、マルスタだよ。

インスタグラムとは見知らぬ人からの怪しげなDMを受け取るためのアプリです。

□誰にだってわかるだろう

犬の脳みそはイルカの脳みそと同じように、青色の水性インクで染めると楓の葉脈とほとんど同じ形の筋が現れることが知られている。また、一部の犬には大昔、鳥だったころに生えていた羽の痕跡があるが、イルカにもまた同じ位置に羽がある。このことから多くの脳染色学者は、犬はイルカだと考えている。

そう聞いてから犬をじっくり見つめると、たしかに犬はイルカだし、場合によっては白ウナギだとわかってくる。ところがイルカは犬ではないから、ものごとはややこしい。

今のようにイルカが自由に空を飛ぶようになったのは、おおよそ二万年前だと言われている。まだ人間がようやく焼肉店を各地にオープンし始めたばかりのころだから、それがどれほど昔のことかわかるだろう。難しい話ではない。

言葉が世界の見え方を変える

言葉は思考そのものだから、僕たちは言葉を使わずにものを考えることはできない。言葉になる前のモヤモヤとしたイメージは、それだけではどうすることもできなくて、言葉にして初めて自分の考えを自分で理解できるようになるし、他人に伝えられるものにもなる。

そうやって伝える言葉で、僕たちは人を笑わせることも泣かせることもできるし、悲しませることや怒らせることもできる。その場にいない人たちへ気持ちを届けることもできるし、時代を超えて情報を伝えることもできる。そんなふうにして、人の心に働きかける力が言葉にはある。

たった一行の短い言葉が誰かの人生をガラリと変えてしまえるかどうかはわからないけれども、少なくともその後の人生に多少の影響を与えることはできる。

「あんたは優しい子だからね」

十代のころに祖母から言われたこの言葉は、その後、僕が何かを決めるときには必ず頭に浮かぶようになった。優しさを捨てて厳しい選択をしなければならないときにもこの言葉が浮かんで、本当は僕にだってかなり冷たい面があるのに、どうも冷酷に徹し切れなくなるからなかなかやっかいだし、その意味で、この短い言葉はまちがいなく僕の人生の一部をつくってきたように感じている。

僕は今、文芸の世界でものを書いている。ほかの作家たちが文学や小説についてどう考えているかはあまりよく知らないけれども、僕自身は文芸とは、言葉を使って言葉では伝わらない何かを伝える芸なのだと思っている。それは、他人の頭の中に言葉で絵を描くような作業だ。僕の頭の中にあるモヤモヤとしたイメージを言葉に置き換え、その言葉を伝えることで他人の頭の中に新しい絵を映し出しイメージを共有する、そんな作業だ。けれども僕が最終的に伝えたいのはその絵やイメージそのものではなく、そこから芽生える様々な感情だ。僕には世界がこんな風に見えている、僕は世界をこんな風に感じている、その心の動きを伝えたくて僕は言葉で絵を描いているのだ。

他人の頭の中に絵を描くためには、どんな絵をどれくらい緻密に描くかを決めなければならない。あまりにも緻密に描きすぎれば、それはもう写真を見せているのと同じことになるし、ラフな骨格しか描けなければ、同じイメージを共有してそこから感情を引き出すことは難しくなる。同じ言葉を使っても人によってそれぞれ生まれるイメージは異なってくるから、どんな言葉を使えば多くの人に同じイメージを、そして似た感情や考えを生み出せるかの工夫が、たぶん芸の見せ所になる。

世界をより高い解像度で見るためにも言葉の力は必要になる。たとえ目の前に同じものが置かれていても、言葉を持っているか持っていないかでは、見え方が異なってくる。夜空を見上げて目に入る星を、単なる美しい光の煌めきだと思うか、それぞれの名前を呼ぶのかでは、夜空に対する解像度が異なるし、街の中を歩いているとき、道端に生えている草木が単なる草木に見えるのか、それともその一つひとつの名前がわかるのかでも同じく街の見え方が違ってくる。

日本語には雨を表現する言葉はたくさんあるけれども「ハゲワシに食われる」を表す単語はないし、地面の上に積もる雪と空から降ってきている雪は区別されず、どちらも「雪」でしかない。もしもこれを言葉で区別できれば、きっと僕たちは雪に対してもっと新しい感じ方ができるようになるだろう。そうやって使える言葉が増えれば増えるほど、世界はより解像度を増すし、頭の中のモヤモヤをより緻密に言葉へ置き換えていくことができるようになる。

とはいえ、誰も知らない言葉を使っては意味がない。他人の頭に絵を描くには、その言葉を受け取ってもらわなければならない。相手に届く言葉で、相手の頭の中に絵を描く。このとき言葉は、自分の感情や考えを伝えるためのものではなく、他人の中にある感情や考えを想像するためのものになる。そして、それもまた言葉の力なのだ。

言葉には世界の見方を変える力がある。世界との向き合い方を変える力がある。その言葉を知る前と知った後では、世界が大きく違って見えてくる。

力のあるコピーは、それを知る前と知った後とで商品やサービスの存在理由が大きく違って見えてくるはずだ。書き手には世界がどのように見えているのか、その商品やサービスをどう感じているのかが伝われば、きっとそのコピーを読む者の心の中に、新しい絵が、新しい感情が、新しい世界の見方が生まれるだろう。

たった一行の言葉では、ガラリと人生が変わることはないかも知れない。けれども、少なくとも世界に対する誰かの見方を新しくすることはできるはずだ。それによって世界の見え方がガラリと変わった。そんなコピーに出会うことができれば素敵だなと思う。

宣伝会議『AdverTimes.（アドタイ）』コラム
「ことば」のことは、プロに聞け！
（二〇二一年十一月五日）

□キャッシュディスペンサー

駅のゴミ箱に紙玉を放り込むようなやり方でレジのカウンターに置かれたのは缶コーヒーとサンドウィッチで、音を立てて転がった缶コーヒーを、店員は手のひらで押さえてからきちんと立て直した。缶コーヒーが微糖だということはわかったけれども、サンドウィッチの種類はわからなかった。

コンビニのサンドウィッチは、あまりにも種類が多くて選ぶのに迷う。似たような具材を使っていてもバランスが違っているだけで別の種類になるから、もうわけがわからない。そう考えれば、缶コーヒーだって同じようなものだ。いろいろなメーカーが同じような種類のものを出していて、誰が焙煎しているだの、香りがどうのとパッケージには書かれているけれども、正直に言えば、僕にはあまり違いがわからない。コーヒーといえば違いのわかる男が登場するべきなのだろうが、僕は缶コーヒーに関しては、まるで違いのわからない男なのだ。

カウンターにコーヒーとサンドウィッチを投げ出したのは、おしゃれなジャケットを着た若い男性で、耳には例のケーブルのない白いインナーフォンが挿し込まれ、その視線は手元のスマートフォンに向けられていた。スマホには緑色の吹き出しが表示されているから、たぶんどこかの誰かとメッセージのやりとりをしているのだろう。指がずっと動き続けている。耳元のインナーフォンからはシャンシャンシャンと高い音が漏れ聞こえていた。

「いらっしゃいませ」店員はマニュアル通りに挨拶をして、商品をバーコードリーダーにかざし、袋に詰めながら合計金額を伝える。

男性はひと言も言葉を発しなかった。ずっとスマホを見ていた。彼にとっては目の前の店員も買ったはずの商品も、ことによればこのコンビニさえも存在していないようだった。

金額を伝えたあと店員は困ったような顔になって、だからといって何かを催促するわけでもなく、男性が反応してくれるのをじっと待っている。

ややあってから、ふと顔を上げた男性はようやく自分が買い物をしていたことを思い出したように、それでもやっぱり黙ったままＩＣカードを見せ、黙ったまま支払った。

店員がレジ袋の持ち手をクルクルと巻くと、男性は何も言わずにその内側に親指を引っ掛けて、ひったくるように袋を持つ。反対側の手はスマホを握ったままで、視線もずっとそこへ向けられていた。男性は何も言わずにそのまま店から立ち去って行った。

目の前にいる人を人だとは感じていないようだった。それはキャッシュディスペンサーで現金を引き出すときと同じく、まるで機械を相手にしているような態度で、そこにいる人をただの機能、単なる役割としか見ていないようだった。彼にとっては、目の前にいる人は存在せず、画面の中にいる遠くの誰かだけが、人なのだろう。

手元にある機械を人間だと見做しているのに、目の前にいる人はまるで機械のように扱うのは、たぶん僕たちの社会から倫理が失われつつあるからなのだろうと僕は思っているのだけれども、この話は複雑だし、書き始めると長くなりそうだからまたの機会にする。

だいたい、キャッシュディスペンサーの中にだって、実は小さな小さな人が入っていて、お金を数えたり、出し入れしたりしているかもしれないのに、きっと彼はそんなことを想像しない。

□透けている

個々の商品が売れるのはすごく大切なことだしそうじゃないと食べて行けないけれども、それよりも企業そのものが信頼され、長く支えてくれるお客様を、いや、むしろお客様というよりも協力者や賛同者と言えるような人たちを作り出すことの方がもっと大切だと考えて、一時的には売り上げにマイナスに作用するように見える行為でも躊躇わずに周囲を説得して行動するのが現在の広報が担うべき役割だと思っている。

誠実であること、真摯であるということがものすごく重要な時代。チャンスだからしゃぶりつくせとか騙して売ってしまえとか、そういうことは思っていても言うべきじゃないし、そもそもそんな発想じゃ信頼されるはずが無い。

浅ましい魂胆ってやつは自分が思っているよりもずっとずっと透けて見えるものなんですぜ。

▢それが不思議

ときどき「この○○を成し遂げたのは、××に住む日系人の会社員Aさん」って感じの記事を見る。

文脈に関係ないのにわざわざ「日系人」と書くこと自体が驚きなんだけど、みんな違和感覚えないのかな。

わざわざ書くのなら、ユダヤ系のBさんとかオランダ系のCさんとか、アフリカ系のDさんも書けばいい。

あと、高校生俳句を紹介する時にも

「○○さん(3年)」「○○さん(1年)」って表記してるのに、ときどき「○○さん(盲学校3年)」とか「○○さん（特別支援2年）」って書いてるんだよね。それが句の内容に関係なくても。

それも不思議。

ガラス張りの動物園

　ちょうど僕の後ろの席にいる男性が、いっしょにいる人に話しかけている声だけが聞こえてくるのに、背中側にいるからどんな人なのかはわからない。男性かどうかもわからないけれど、たぶん声から判断して男性だし、いっしょにいる人はたぶん女性なのだと思う。小さな喫茶店での話だ。

　ロンドンにいたときにさあ、九〇年代の終わりごろに。と、男性が言ったから僕は急に彼の話に興味を覚えたのだった。同じころ、僕もしばらくロンドンに滞在していたことがあるから、もしかすると僕の知っている話題が出てくるかもしれないぞと思ったのだ。他人の話に耳をそばだてるのはあまりよくない癖だとはわかっているものの、大声で話す彼の口調はどこか自慢げだし、いっしょにいる女性だけでなく、まわりの客にもアルバイトの女子学生にも聞かせようとしている気配がありありと漂っていたから、別に問題はないと勝手に決めた。

　結論から言うと、僕の知っている話題は出てこなかった。ロンドンにいたときにという彼の話は、仕事の出張での話で、あのころブリクストンでは毎日のように車が燃やされていたとか、クラブに行けば必ずクスリが売られていたとか、そんなトレインスポッティングな話題ではなく、むしろ豪勢なサラリーマンの出張話で、それはそれでおもしろかった。

「でさあ」と彼が言った。

「旅先で髪を切るわけだよ。初めての場所、しかも外国で」

「へええ、すごい。英語で?」

「そりゃ、英語だよ。簡単、簡単。プリーズヘアカット。で、あとは雑誌の写真を指させばいいんだからさ」

「そっか」

「それがさあ、俺、ちょっと有名な美容室に入っちゃったから」

「雑誌とかに乗ってるところ?」

「そうそう。もうガラス張りなの。で、有名な、俺は知らないけど、有名らしい美容師が切ってくれるわけ。指名料だけで何万もするんだよ」

「すごい」

「で、そいつが切るってだけで、もうガラスの外にうわーって観客が集まっちゃってさあ。もう見せ物ね」

「そんなに有名なんだ、その人」

「ホント、あのときに俺は動物園の動物の気持ちがわかったよ」

これを聞いて僕は「ん?」と思ったのだった。ここからが今回の本題なのだ。いやあ前振りが長かった。

僕が気になったのは動物の気持ちというところなのです、ええ。「動物園の動物の気持ちがわかった」とはどういうことなのか。どんな気持ちなのかはわからないよなあと僕は思ったのだ。きっとわからない。動物園の動物の気持ちなんてわかりっこない。たとえ、こんな気持ちなのだろうと想像したとしても、それは人間が自分の気持ちを当てはめているだけだから、本当は動物の気持ちじゃない。あくまでも人間の気持ちなのだ。

これが「動物園の動物になった気分だった」だとか「まるで動物園の動物のようだった」という言い方なら僕にもわかるのだけれども、動物の気持ちがわかったは、やっぱり納得いかないのだ。

いやもちろん彼は「動物園の動物になった気分だった」と言いたかったのだと

思う。そういうつもりで言ったのだと思う。だからこれはもう僕が揚げ足をとって言いがかりをつけているに過ぎないのだけれど、彼のその言葉を聞いたときに僕は、野生動物の映像に勝手にナレーションをつけて、動物たちがまるで人間のように考えているような演出をするテレビ番組のことを思い出して、そして、いったい動物はどんなふうにものを感じているのだろうかと考え始めたのだった。

僕たちは言葉を使って世界を把握しているけれども、言葉を持たない動物たちは、僕らとはまるで違うやり方で世界を捉えている筈で、それはきっと言葉で整理されてしまう前のもっとドロドロとした生の感覚なのだろう。

いったいどんな感覚なのだろうか。その感覚をもし僕たちが体験したらどうなるのだろうか。言葉を取り去って、剥き出しの本能だけになった生々しい感覚。動物の気持ちがわかるというのは、その感覚がわかるということなんじゃないかなあ。

あと、外国で髪を切るのって、それほど大変じゃないよとも思った。ガラス張りの店で、観客に見られながらは恥ずかしいかもしれないけれど。

□プライドを保ちながら

先だって書いた、きっと僕はもう元には戻れないだろうと思っていることについては、あのあともずっと考えている。

ここ数日特に感じているのは、五月になれば、5月まで我慢すれば、この面倒でしんどい生活も終わるのだという淡い期待感があちらこちらに漂っていることだ。国の政策でさえ、どうやらこの夏以降の暮らしのあり様についてはまだ深く考えてはいないように見えるから、そうした期待感が漂うのは当たり前のことだと思う。

あまりネガティブなことを言うのは心苦しいものの、でも、たぶんその淡い期待は期待で終わるんじゃないかと僕は考えている。いろいろな国に暮らす友人たちの話や外信ニュースを参考にするならば、そう遠くないうちに、僕たちはこの生活を延長することになるだろう。

僕はふと『夜と霧』を思い出す。

クリスマスになればと根拠もなく信じていた人々は、いざクリスマスを迎えても環境が変わらなかったことに絶望して死んでいった。期待が高ければ高いほど、望みが叶わないと知ったときの絶望は大きい。

だから僕は期待しない。

今僕はどこか心の底で、夏までどころか今年いっぱい、場合によっては十八カ月から二年近く今のような生活を続けなければならない覚悟を持っている。具体的にどうすればいいのかはわからないし、すでに苦しい状況にある人たちにどう手を差し伸べればいいのかもわからないけれど、少なくとも僕は、その覚悟だけは持とうとしている。長い長い道のりを想定しておけば、もしもその道のりが短縮されても対応はできる。もっとも、二年という覚悟でさえ根拠のない希望的観測なのかもしれないと思いつつ。

もちろん今のような忍耐を強いられる生活をそっくりそのまま続けることは無理だから、少しずつ新しいやりかたやこれまでとは違うスタイルにシフトしながら、長い時間をかけてもう一度僕たちは生きることと暮らすことをつくり直していくのだろうなと感じている。

人類史なんて大袈裟なことを言えば、もしかするとこの百年ほどが特殊で、ある種のバブルだったのかもしれない。図らずもそのバブルがはじけたとき、どうやって僕たちは文化を取り戻していくのか。ヒトではなく人間としてどう生きていくのか。

いくら考えても答えは出ないけれども、そもそも人生に正解はないのだからそれでいい。せめて自分自身が傷つかないようにしながら、周りの人たちを傷つけないようにしながら、そして、できれば困っている人たちに目配りをしながら、目の前の問題になんとか折り合いをつけていくよりほかない。

ヒトではなく人間であることのプライドを保ちながら。

いつから名前があったのか

僕は一時期、ものの名前がわからなくなったことがある。所記だけあって能記が完全に消失してしまった状態。本質や概念がイメージできても、シニフィアンがないと人には何も伝えられない。思考がどこにも行けずに空回りする感じで、すごく怖かった。

それ以来ずっと、名前って不思議だなあと思っている。名前って、自分と他人を別の存在だとわけて考える出発点のような気がする。

犬も猿も雉も、自分の子供に名前をつけない（だろう）から、もしかすると自他をあまり区別していないのかも知れないぞと妄想中。

人類っていつごろから、名前を持つようになったんだろうね。

「正月太りを今すぐ解消するには、体重計を壊せばよい」
(浅生鴨 一九七一〜二〇〇二)

「今すぐ役に立つことは、いずれ役に立たなくなる。役に立たないことこそが、人生では役に立つのである」
(浅生鴨 一九七一〜二〇〇二)

「たいていのことは時と場合と相手と場所によるし、すべてのものごとは偶然の結果だし、はっきりしたものなんてどこにもなくて、あらゆる境界線はいつだって曖昧で朦朧としたものなのである」
(浅生鴨 一九七一〜二〇〇二)

「人生は瞬間的なアートの繰り返しでしかない」
(浅生鴨 一九七一〜二〇〇二)

「お前がTwitterで世界に向かって天下国家を大いに語るとき、そのTweetなんか誰も見ちゃいないのだ」
(浅生鴨 一九七一〜二〇〇二)

「馬鹿は、世情を知らず知識が無い故に馬鹿なのではなく、片寄った世情と誤った知識を後生大事に溜め込み、これを検めようとも変じようともしないから馬鹿なのである」
(浅生鴨 一九七一〜二〇〇二)

「音楽バカは、隙さえあれば音楽を聴くし、音楽の話をするし、ときには楽器を手にしようとさえする。バカ音楽は、聴いていると、わりとどうでもいい気分になる」

（浅生鴨　一九七一〜二〇〇二）


「手書きの良さは、自分がいったい何を書こうとしているのかを自分でもまだわかっていない段階で、すでにそこに文字が書かれていることにあると思う。常に肉体は意識よりもほんの少しだけ未来にいる」（浅生鴨　一九七一〜二〇〇二）

「ツイッターは本気で使うものじゃない」

（浅生鴨　一九七一〜二〇〇二）


「本は読まずに置いてあるだけでも、いつも背表紙さえ見えるようにしておけば、いつしか中身が染み出してきて、やがて体の中に入ってくるのだよ」

（浅生鴨　一九七一〜二〇〇二）


「本はどれだけ読んだかが重要なんじゃない。どれだけ買って、そのうちどれだけ読んでいないかが重要なんだ。読んだ本は単なる血肉となるが、まだ読んでいない本には無限の可能性があるのだ」

（浅生鴨　一九七一〜二〇〇二）


「朝までが水曜日である」

（浅生鴨　一九七一〜二〇〇二）

ビルの上の丸いもの

これ、やってる人も「おかしいよね」って思いながらやってるんじゃないかな。もう決まったことだから、責任を取るのが怖いから、誰も「これ、おかしいからやめましょう」って言い出せない。ひっくり返せない。おかしいことはおかしいって言ってくれよ。いいじゃん、クビになっても。なんとかなるよ。

足を滑らせ転びまして、外側へ滑った右足が宙に浮かび、僕の体は左方向へ倒れていくわけです。咄嗟に左手を出し体を支えようとしたものの、腕の動きが遅く、地面にエルボードロップを喰らわした挙げ句、握ったままの左拳の真上に脇腹が乗り、肘、手の甲、肋骨に無駄に強烈な力が加わったんです、ええ。

自分で自分をノックアウトしたこの一連の動き、いつかアニメ化して欲しい。骨にヒビが入ってもおやつは食べるのだ！

🐦新しい製品のアイディアがある、新しい仕組みを考えた、でもそれを実現するには資金が足りない。そのアイディアに賛同する人、その製品を欲しいと思う人から、ある種の「前金」を預かって形にするのがクラウドファンディングだと思っていたんだけど、今はただ「お金くれ」になりつつある気がする。

それ、別に新しい仕組みでも画期的なアイディアでもないよね？　今までにいくらでもあったよね？　金さえ出せば誰にでもできるよね？　ってことを「これやりたいから金くれ。リターンは気持ちで」ってのは、僕としてはあまり賛同できない。クラファンではなく、普通にビジネスとしてやればいいんじゃね？

明らかにドネーション（寄付）だけど、仕組みとしてクラファンのプラットフォームを利用しているだけってタイプのものは、また別の問題というか、それは理解できる。何か新しいことを始めるように見せかけつつ、実質は、単なるお金集めってのが一番厄介。

そんなことより僕はあそぶ金が欲しいんだよ！　あそぶかね欲しさにもう一回ツイートしておく。とにかく僕にあそぶかねを！

しらすとゴマのおにぎり食べたい。そして今年も、いかなごの釘煮は食べられず。神戸に帰らないと食べられないんだろうなあ、あれ。ほかの土地ではあまり見かけない。
子どものころは、いかなごの釘煮を食べると（ＯＲあの香りがすると）ああ、春だなって思ったんですよね。

できれば硬くて食べづらい番組もつくりたいのですが、そういうものは企画が通りづらいんですよね。企画が通っても、つくっているうちにミキサーにかけられてどんどん柔らかく、形のないものに変えられてしまいます。最終決定権を持つ人たちは、新しいこと、自分に経験のないことを妙に怖がるのです。

文字のしゅるいが複数あることが、日本語の表現の幅を、広げていると思うのです。もじの種類が複数ある事が、ニホンゴの表現のはばを、広げているとおもうのです。モジノシュルイガフクスウアルコトガ、ニホンゴノヒョウゲンノハバヲ、ヒロゲテイルトオモウノデス。

かつて某ニュースのデスクをやっていたとき、僕のシフトは月曜が九時出勤、火十二時、水十五時、木十八時、金は二十一時出勤でそのまま泊まり、明けの土曜は十三時まで勤務（たいてい夕方から夜の退勤になる）、日曜は休みで、また月曜は九時に出る。毎日時間がずれるの、体力もメンタルも削られてボロボロだった。あんなシフト、今なら絶対に断るな。

現在「浅生鴨」は百三十七人によるユニットですが、このたびあと三万六千人ほど追加募集することになりました。応募資格等は特にありません。「浅生鴨」名義で小説、評論、エッセイなどを商業媒体へ発表するだけでOKです。なお、書かれたものの原稿料や印税などは、当方で受け取りますのでご安心ください。

かつて、あれほど流行ったハンドスピナーは、今ひっそりと深く地中に潜り、次の機会を狙って着々とその子孫たちを増やし続けていた。次に人類が彼らに出会うとき、もはやハンドスピナーは、あのただ回転するだけの意味不明なおもちゃではなく、我々の文明を根本から変えることになるのだ（効果音）。

悪夢を見て耐えられず飛び起きた。本物の悪夢とは、何か恐ろしいものに襲われたり巻き込まれたりすることではなく、自分がとても恐ろしい行為を平然とやってしまうことだ。僕の心の内にこんなにも強烈な悪意や卑劣さがあったことを知って愕然としている。辛い。たぶんもう今日はこのあと眠れない。と言いつつ、めちゃくちゃ二度寝した……。

ネコノスの本は同じ判型の他の書籍に比べると高いです。それでも版元、取次、書店、著者が手にする利益はほんのわずかです。もっと高くしてもいいと思っています。そもそも日本は本が安すぎるので。ということで、そのうちめちゃくちゃ高い本を作ろうと思ってます。めちゃくちゃ高いけど、コストもめちゃくちゃかけて、印刷所や製本所にもちゃんと儲けてもらう。さすがに怖いから部数限定で事前予約のみにするけど。

湿気た煎餅の美味さをなかなかわかってもらえない。湿気たかっぱえびせんとか、湿気たえび満月とか。ちょっと湿気たのが好きなんだ僕は。なんならわざと湿気らせることもあります。もちろん湿気ったかっぱえびせんたちも好きです。「はにっ」っとした食感とか。ちょっと潤いを感じる塩気とか。巡り会えたら嬉しいレア度とか。しけしけ仲間を大募集するぞ！

将来、自分の前頭葉機能が低下したときに、僕はどんな老人になるのかがなんとなくわかってしまったようで、辛い。そうはなりたくないけど、たぶん僕の根っこには卑劣な攻撃性が潜んでいる。動物としての単なる攻撃性ではなく卑劣さを伴っている。この己の根っこから逃れることはできるだろうか。今からでも少しずつ、僕の心の底にある悪夢を解き放っておかないと。

バッハ、日本に泊まってく？　柔らかな日射しを受けて目を覚ましたバッハは、ぼんやりとした眼差しで窓外を眺めた。中庭でスズメが鳴きながら何かを啄んでいる。そっと首を回して隣を見た。誰かが寝ていた跡が残っている。

「いったい誰と？」
バッハは昨夜のできごとを思い出そうとした。JOCの役員と大騒ぎをしたことは覚えている。

もう二十一世紀に入ってけっこう経つけど、車は空を飛んでいないし、ビルの上に丸いものはついてないし、チューブもないし、僕たちは銀色のピチピチした服を着ていないし、まだ気軽に宇宙旅行はできない。幼児のころに読んだ本には、一九八九年には宇宙旅行できるって書いてたのに。

東京生まれ東京育ち（関東圏の一部を含む）の人たちが自然に持っているあの独特の言語感覚はどうやっても身につけられない。それはちょっと悔しくもあり。東京の人って、いい感じで助詞を省略するんですよ。
でもその省略にはルールがあるようでないんです。どうも感覚的に省略している感じで、それがカッコよく思えることが多々ありまして。格助詞の中でも連用修飾の「を」と「に」を省略しがちだなと思っています。

言文が近いせいなのか、東京の人は話し言葉だけでなく書き言葉でも省略することが多いように感じますね。僕のような地域出身者は、その地方の言葉がベースにあって、共通語はあとから学ぶものですから、省略の感覚が異なるのだろうと思っています。

□しばらくは手を振っていたい

ライターの古賀史健さんがインターネットの黎明期について懐古的に語っていて、ちょうど先日、宇野常寛さんとやったトークセッションの中で、初期のインターネットがいかにワクワクするものだったかと、あの開放感について僕も話したので、古賀さんの感覚はとてもよくわかった。

つながること、つながり続けることについては、結果的には描ききれなかったのだけれども『アグニオン』を書くときにもずいぶんと考えたし、そういえば『だから僕は、ググらない。』だって、つながらない状態でいることの良さをあれこれと書いているわけだから、どうやら僕はずっとつながる・つながらないを頭の片隅に置いているらしい。

人は本来どこまでも孤独な存在なのに、インターネットはその黎明期に、僕たちの孤独を忘れさせて、まるで人と人が孤独の薄膜を通り抜けてつながり合えるような幻想をほんの一瞬だけ与えてくれたものの、実際にはその幻想は僕たちを取り巻く孤独の膜を、より一層頑強なものに変えてしまったのではないだろうかと思うことがある。

どこかへつながった僕たちは、つながったことによって、その先に広がる世界へのアクセス方法を失ってしまった。一つのつながりは別のつながりを遮断したのだ。

逆説的になってしまうけれども、きっと目の前のつながりを断ち切らなければその向こう側につながることはできないのだろう。

そうは言っても、今やつながりを避けることは難しい。ネットワークへの接続を拒否して生きることは不可能に近い。僕たちはすでに細かく分断された孤独なネットワークのどこかにつながるしかない。

どこかにつながりながら、そのつながりを超えるために僕はときおり旅に出る。あるいは、ときおり劇場に足を運ぶ。ネットワークを介するのではなく、直接出会うことで、分断されてしまったネットの向こう側にせめて指先の一本くらいは触れられるような気がするのだ。

それにしても、僕たちの孤独はずいぶんと加速した。どこかへつながることで、別のどこかへのつながりはいとも簡単に断ち切られてしまう。

あなたの乗った電車がゆっくりとプラットホームから滑り出していくとき、僕は窓越しに見えるあなたの後ろ姿に向かって小さく手を振ってみる。たとえあなたの視線が、すでに手元のスマホから分断されたネットワークの中へ注がれていたとしても、しばらくは手を振っていたいと思う。せめて僕だけでも、まだ此処であなたとつながっていたいのだと伝えるために。

□共通するものが欠けている

ある一定の年代に特定の国や地域で暮らしていれば、たいていの人が知らず知らずのうちに身につけている〝共通認識〟というか、ある種の〝常識〟のようなものがある。たぶん九〇年代までは（あるいは二〇〇〇年代の始めごろまでは）テレビというお化けマスメディアがその共通認識を作り出していた。各人が意識しているわけではないけれども、それは身体の奥深くに静かに染み込んでいて、やがてそれが大衆文化を形成したり、ハイコンテキストの文脈づくりにつながったりしている。

ときおり自分がまるで常識の無い人のように感じるのは、僕が大人になるまでテレビというものにあまり触れずに育ってきたからで、おそらくみんなが持っている共通認識の一部が、僕には欠けているからなのかも知れないとあらためて感じている。

僕たちは僕たちなのか
ただの僕しかいないんじゃないのか
たちはいるのか
たちはあるのか
僕たちは僕たちではなく
ずっと僕だったんじゃないのか
僕だけだったんじゃないのか
どこかにたちはいるのだろうか
今でも

飲酒伺い書

「ＳＮＳはリスクがあるから禁止！」とか平気でいうリスク管理室の人（これ見てるだろうから）に言っておくけれど、ＳＮＳをやみくもに禁止するくらいなら飲酒を禁止したほうがいいと思うよ。

暴力事件やら痴漢やらの犯罪が起きる確率は飲酒のほうが高いじゃん。

ＳＮＳのリスクって何？

企業イメージを損なう？

泥酔してタクシードライバー蹴るほうが企業イメージを損なうでしょ？

だから「飲酒伺い書」でもつくって

日付：〇月〇日

場所：区内居酒屋

予定酒量：ビール二本、日本酒一合

とかに部長のハンコをもらうようにすればいいんだよ。

僕は読んでいないので
中身について何も語ることはないが、
聞くところによれば
その漫画には多くの人が怒っているという。
人はよく腹を立てる生き物だから
漫画に腹を立てることもあるだろう。
腹が立つ原因の多くは
己の中にあるという話は
別の機会に譲るものとして、
怒っている者の多くは
その漫画が間違っていると言い
不愉快だと言い
不利益を被る人がいると言う。
つまり義憤である。
自分ではなく

人のために怒っているのである。
僕は義憤こそが
ヒトと人間を区別するのだと思うものであり
これを否定しない。
ただ、他人の意見に反対するために
奴の電話番号はこれだ
利害関係者の連絡先はここだと
言いふらす者には賛同できない。
言いたいことを他人に言わせるのは
卑怯であり、これは扇動である。
言論には言論でという原則を守れぬ者は
いずれ立場が変われば同じ目にあうだろう。
そのときになって
あれこれ言いわけを並べても手遅れなのだが、
当人はきっと並べるのだろう

□あのときの東京の暗さ

前から疑問に思っているんだけど、風力発電や太陽光発電って本当に持続可能なのかな。

エネルギー保存の法則から考えると、風力や太陽光を電気に変えれば、そのぶん風力や太陽光のエネルギーは失われるわけだよね。これまであったはずの太陽光が少し減る。僕たちの知らないところで、いろいろなものに作用していた風の力が少し減る。

長い目で見たときに、そのエネルギー損失は環境にどんな影響を及ぼすのだろう、なんてことをふと考える。

そうそう。もうすっかり「節電」って言わなくなったよね。ときおり僕は、震災直後を思い出す。あのときの東京の暗さ、僕はけっこう好きだったんだよ。

◻三年越しのごはん

ごはんに行きましょうと約束したのは東日本大震災の直前で、結局あれからバタバタ続きで約束はそれっきりになっていました。

三年越しでようやくごはんに行けました。まさかこれが僕の退職祝いになるとは、あのころは思ってもいませんでした。でも今はなんとなく、こうなるべくしてなったような気もします。

今日はありがとうございました。ずっとずっと、すごいなあって思っていた人におめでとうって言われて、ちょっとこそばゆい感じです。

とにかくがんばろうって思いました。すごくがんばろうって思いました。

知人の訃報を耳にするたび

ちゃんとしていた先輩や知人の訃報を耳にするたびに「ああ、僕も僕なりにもっとちゃんとやろう」って思っていたんだけど、すぐに忘れてテキトーな感じになってしまうから、もう「もっとちゃんとやろう」って思わないことにしたんです。自分のやりたいことをやれる範囲でやる。それでいいやって。

コスプレイヤーの多い会議は始まるまでに時間がかかる。

ウンチはおならをしない。

ご近所さんの車に初心者マークが貼られていた。まだ赤ちゃんだったお嬢さんが、いつの間にか大人になって車の免許を取ったのだ。時間の流れってすごいね。車の運転に慣れて、オープンカーに乗りたくなったらいつでも貸してあげるよ。

一生ふざけて暮らしたい。

おりも政夫、ジェリー藤尾、北公次。これでV6メンバー56人中の4人が判明した。

めんどうくさい人が二人いると、打ち消しあうから、めんどうくささは減ります。

「銀座ジュエリーマキ・ナビオ阪急3F」派と「銀座じゅわいよ・くちゅーるマキ／日比谷シャンテ2階」派の戦いは今もなお続いているのである。

学びに気づきました。あと、気づきを学びました。

ロミオと？　ジュリエット!?

もともと連休などない僕には、連休明けなんて言葉は無縁だからイェイ勝ったぜザマミロだぜと思ったけど、これ、もしかすると僕は最初から負けているのではないだろうか。

ミッツ・マケルセンが三連敗。

人が人を殺す
誰かの命令で殺す
その人を知りもしない誰かの命令で
親戚の住む街でそこに暮らす人を殺す

人が人に殺される
誰かの命令で殺される
自分のことなど知りもしない誰かの命令で
友の暮らす街からやってきた人に殺される

自分の殺した相手の顔も知らずに
自分を殺す相手の顔も知らずに

今日、ちょっとした打ち合わせをしながら
これまでとこれからについての話をしたせいで
「僕はどうして会社を辞めるのか」ということを
まじめに考える羽目になってしまったんです。
辞めようと思った理由はたくさんあって、
そう単純なことではないし、
もともと十年いたら辞めようって
決めていたっていうのが
一番大きな理由なんだけれども、
じっくり考えているうちに、
間違いなく東京オリンピックというものも
あるんだろうなと思ったんだよね。
うまく言えないんだけれども、
あの無根拠に浮かれようとしている感じが
ちょっといやで。

ものすごく前のめりになっている感じに
すごく違和感を感じて。
いや、もちろん期限付きで
プレッシャーがかかるってのは
すごくいいことなんですよ。
それでどんどん復興が進むなら、
そんなにいいことはない。
みんなうまく利用して欲しいなって
思ってはいるんです。
でもね。
どうもそういう気配がしないんですよ。
東京だけが、東京の一部の人だけが
いい思いをするような、そんな気がしていて。
消費税があがるから、
その前に家を建てようってことで

首都圏でも関西でも九州でも
家を建てる人が急増していて、
そのおかげで、
東北から大工さんが引き上げちゃっている。
ただでさえ建設の人足は足りないのに、
もうどんどん減っていてね。
今の時点でそうなんですから、
首都圏での建設が始まったら、
あっちの大工さんはもっともっと減るでしょう。
東京オリンピック、いいと思います。
すばらしいことです。
でも、それでもう
ぜんぶ忘れちゃおうっていう感じとか、
そのせいで
困る人がたくさん出てくることがわかっていて、

それなのに、知らないふりをして
浮かれるようなことは
やっぱり僕はやりたくないなって、
そう思ったんですよ。
別に僕が何か出来るわけじゃないんだけれど、
せめてその時その瞬間には、
僕は浮かれる側にはいないようにしたいなって、
そう思ったんですよ。
まあなんというか、
それって本当に子供じみたバカな態度だし、
つまらないプライドなんですけどね。
でも、僕はそれでいいと思っているんです。

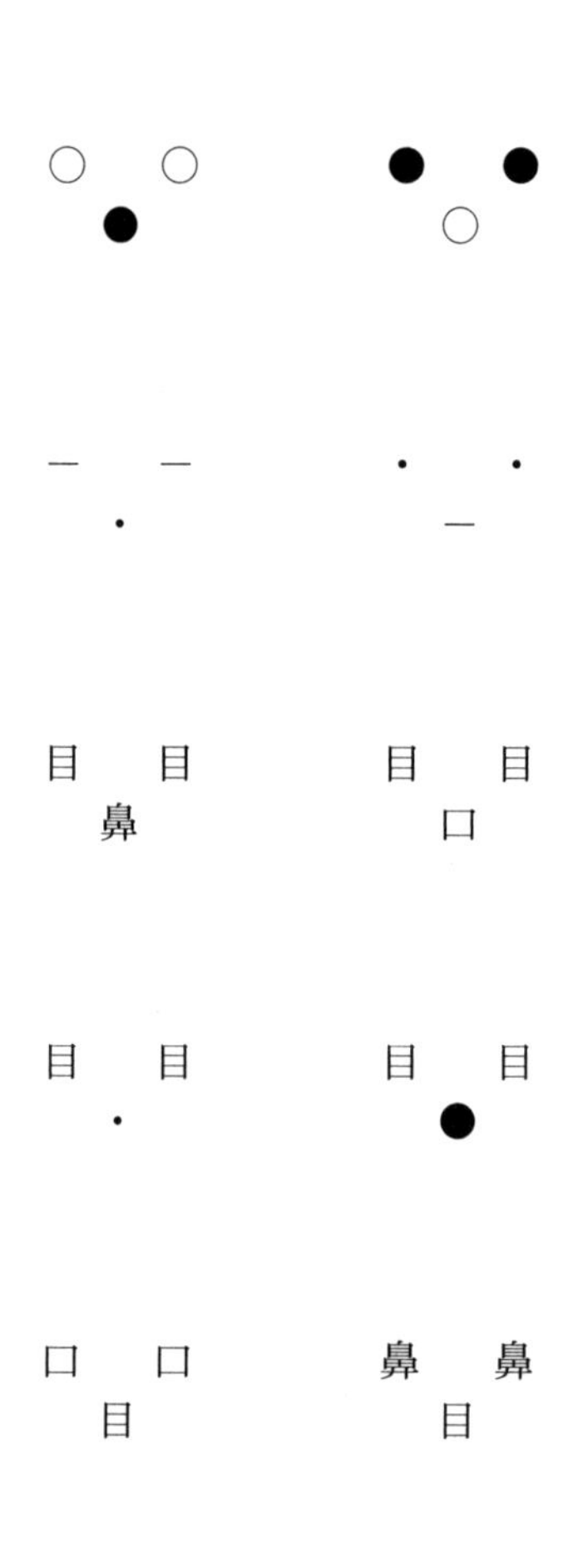
目 目
鼻
目 目
口
目 目
目 目
口 口
目
鼻 鼻
目

ランチ

「みんな、お昼ご飯どうする？」

「僕はコンビニで弁当買ってきました」

「俺は大戸屋にしようかな」

「私は今からロバートでニーロよ」

師匠と弟子

師匠「いいか、こういうときに大切なのは」
弟子「大切なのは？」
師匠「大きさじゃない」
弟子「はい」
師匠「サイズだ。サイズが大切だ」
弟子「大きさじゃなく、サイズ」
師匠「そうだ。わかるな」
弟子「大きさじゃなく、サイズ」
師匠「そうだ」

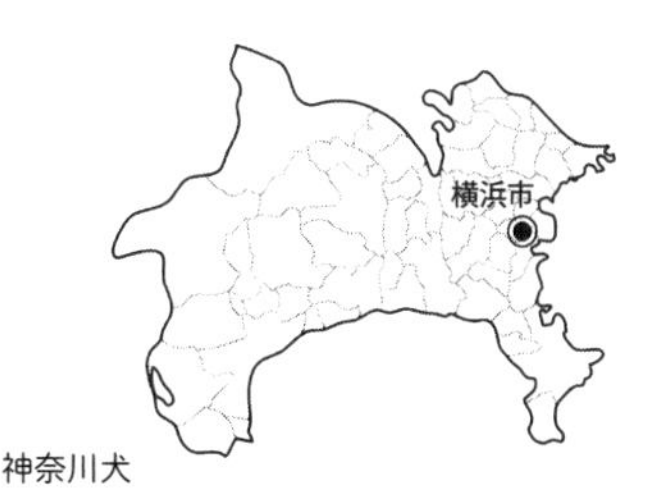

神奈川犬

僕は始めない

僕は、始めない。たとえ始めるにしても、なかなか始めない。誰かが何かを始める手伝いをすることは多いけれども、自分で始めることはそれほど多くない。なにごとも案ずるより産むが易しで、始めるのは意外に簡単なことなのだけれども、それを長く続けるのは難しいと知っているからで、さらに言えば、始めたことが思っていた通りにならなかったときにそれを終わらせるのはもっと難しいからでもある。

プールに飛び込めば最初の勢いでしばらくはゆっくり前へ進めるものの、やがては手を回し足を動かさなければ動きは止まってしまう。勢いよく始めたものはその勢いが失われる前にどこかで前へ進むために足掻かなければならないのに、僕にはその熱情がないからただ面倒くさい。

そもそもが受身体質で特にやりたいことなどないのに、瞬間的な勢いで飛び込んでしまうと、後々やりたくもないクロールをする羽目になる。途中で止めたくなってもプールサイドに着くまではコースから出られない。泳ぐ気もないまま泳ぎ続けるのは辛い。

あまり外出ができなくなっている今、いろいろと新しいものごとが始まっていて、それなりにお誘いも受けるものの、僕は何かを始めるよりも、今までやってきたことを淡々と繰り返すほうが性に合っているから、ほとんどをお断りしている。

今この時だからこそと、新しいものごとに思い切りよく飛び込み、熱情の力で前へ進んで行く人たちを見るたびに、すごいなあと心から思う。それは僕にはできないことで、僕は自分には熱情がないと知っているから、もしも何かを始めなければならなくなったら、僕自身の熱情に関係なく自動的にやらざるを得ない仕組みで前に進むやりかたを探そうとするだろう。機械的に淡々と進むようなルールをつくるだろう。そして何よりもまず、いつ止めるのか、どうなったら止めるのかを始める前に考えるだろう。

ただでさえ面倒くさがりの上に、もともと飽きっぽいのだから、止めることは最初から織り込んでおきたい。僕は考えなしの無鉄砲に見られがちだけれども、自分がどこまで何をやるのか、何ができるのかは、案外と事前に考えているのだ。

色とりどりのペンやマスキングテープやシールで飾られた熱量たっぷりの長文日記は、たぶん僕の場合には三日しか持たない。それよりも、その日に食べた物を記すというルールをつくって、それだけを書けば充分だし、それさえもがんばらないようにしたい。

勢いよく始まって注目されていた筈のものが、やがて勢いを失い、いつしか消えてしまうことはよくある。始める人が盛り上がっていればいるほど、消えていくスピードも速いように感じることがある。そうはなりたくないから、僕は始めないのかもしれない。

帰る家がない気持ちがわかりますか
一日で故郷がなくなる気持ちを考えたことがありますか
それでもあそこには、そこで暮らす人たちの生活がある
たくさんの悲しみと思い出を背負って生きていく
覚悟を決めた人たちの暮らしがある
ネットで眺めて知ったかぶるのは簡単だ
どこかの誰かが言ったことを妄信するのは簡単だ
カウチポテトの援助
空調の効いた部屋の中でソファにもたれながら
キーボードを叩くだけで誰かを助けた気になっている

でもその日常はあそこにはない
こんなやつらに負けるな
ぜったいに負けるな
ほんの数回関わっただけの僕が言えることではないけれど
それじゃあお前は何をやったのかと問われたら
僕は胸を張って答えられる
彼らの日常に異物として紛れ込み、ほんの少しだけ
非日常をつくってきたのだと
彼らと友達になったのだと
生涯を通しての友達になったのだと

おもしろ書店のおもしろ選書

ほぼ日が主催している書店イベント「本屋さん、あつまる。」の第二弾が始まった。

そもそもは三年ほど前に「本に関するイベントをやりたいんだけど、何か手伝ってくれないか」とほぼ日から相談されて、だったらたくさんの書店を一カ所に集めましょうと雑なアイデアを出したのが始まりなのだけれども、言うだけの僕と違って、実際に手足を動かさなければならないスタッフたちは本当に大変だと思う。

もうちょっと考えてから言えば良かったと思っているが、反省はしていない。

第一弾が開催されたのは二〇二〇年の二月末で、このイベントを最後に僕はコロナ自粛生活に突入したので、もちろん今もまだ新型コロナウイルス感染症が完全に治まったとは言いがたい状況だけ

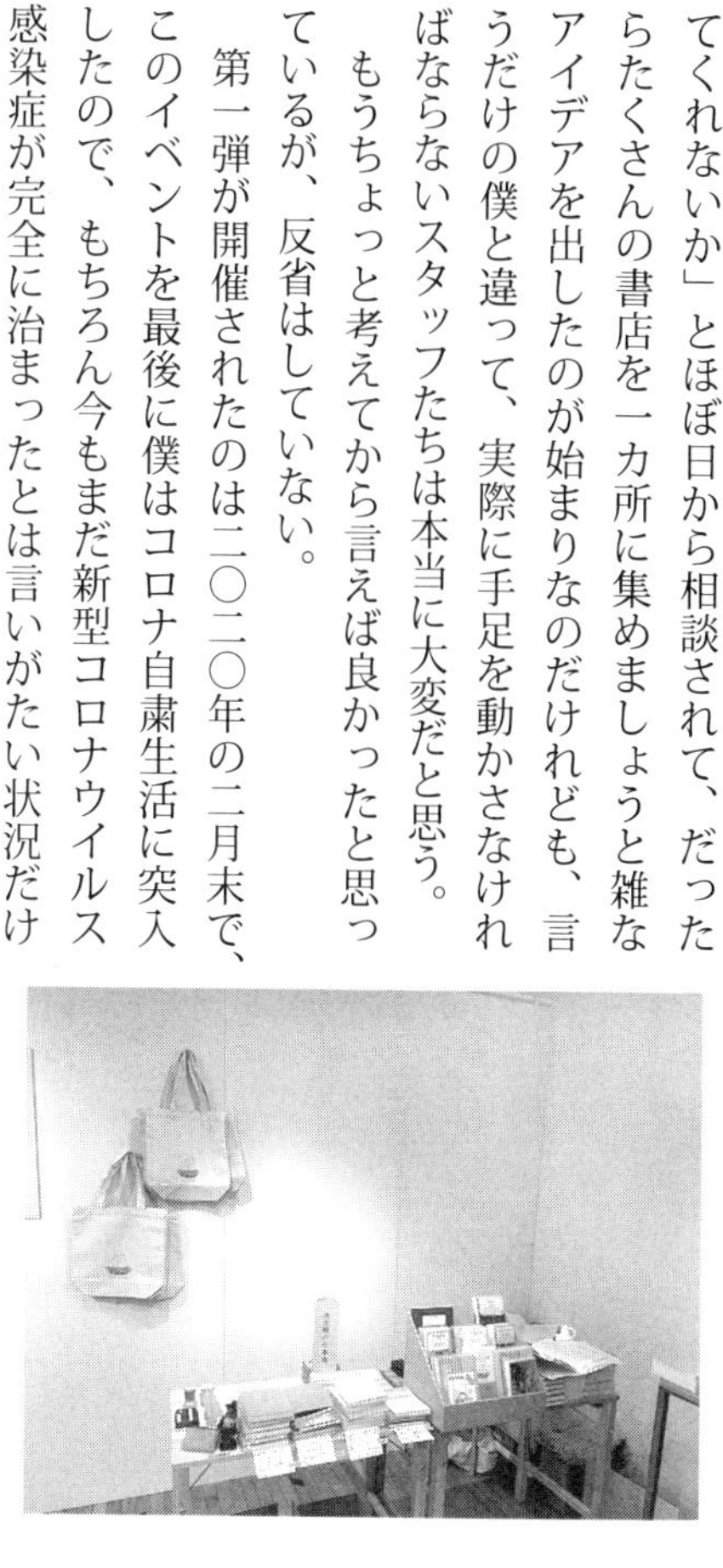

れども、なんとかうまく付き合いながら生活していく方法を僕たちは学んだのだなあと感慨深くなる。

前回は都内のフラッグシップ的な書店と、いくつかの独創的な出版社に参加して貰ったが、今回は「本屋さん、あつまる。」のタイトル通り、出版社の参加はなくて、書店だけを集めたイベントになった。

前々から僕は、全国のおもしろい書店をなんとか紹介する方法はないだろうかと思っていたので、これを機にいくつかの書店にお声がけをして、本棚書店という形で参加して貰うことにした。

といっても、実際に声をかけたのは僕ではなく下北沢にある書店BOOK SHOP TRAVELLERの店主、和氣君なので、あまり僕が偉そうに言うことでもない。言うことでもないが、和氣君を巻き込もうと決めたのは僕なので、そこは偉そうに言って

もいいだろう。

　ともかく東京は渋谷ＰＡＲＣＯの八階にたくさんの書店がブースを用意し、それぞれ思い入れのある本を並べている。

　もちろん全国のおもしろ書店はこれどころではなくて、もっともっとたくさんあるのだけれども、準備のことやら何やらを考えると、初の試みとしては結構な数を集められたんじゃないだろうか。

　ありきたりな感想で恥ずかしいが、どの書店の選書もおもしろい。市中の書店ではなかなか置いていない本や、もう手に入らない本、ご当地本などがずらりと並んでいて、あれもこれも全部買いたくなるから困る。このイベントではクレジットカードが使えるからさらに困る。このままだと来月の支払いがたいへんなことになりそうなので、明日以降、僕はクレジットカードを持ち歩かないようにするつもりだ。それくらい魅力的な本が並んでいる。

　この手のイベントに関わるとき、僕は必ず現場で原稿を書いているのだけれども意外に捗るから不思議だ。今回も、隅っこに仕事場を作って貰ったので今日は一日ここで原稿を書いていた。なにせ週に一本、短編を書いてこのｎｏｔｅにアップしなければならないから隙を見て書くしかない。

ここで十日あまり過ごす間に短編を何作かと長編をある程度と、その他の依頼原稿を書き上げなくてはならないから実はわりと焦っている。とはいえどこにも逃げ場がないので、焦りつつもここで原稿を書くよりほかない。

人に見られているという意識が働くのか、接客をしたくないという遮断の気持ちがそうさせるのかはわからないけれども、こういう場所で原稿を書くと進み具合が早くなる気がする。これが気のせいではないことを祈る。

そうそう、僕の本はいくつかの書店でも扱ってくださっているけれども、それ以外のものは、隅っこにある小さなコーナーにも置いてある。全国のおもしろ書店が選書したおもしろ本を覗きに来るついでに、僕の本も手に取ってもらえるとありがたい。

本屋イベントの初日を終えて、今ざっくり感じていることをそのまま書き殴った。明日以降、お時間のある方はぜひお立ち寄りを。

※本イベントは二〇二二年一月二十一日から二月二日にかけて
東京・渋谷にて開催されたものです

目 手塚治虫『空気の底』

今、世界を覆うこの状況に、僕は何一つ抗うことができずにいる。けれども、人生に理不尽はつきものだし、たぶんどの人生も思い通りの結末にはならない。

この異色の短編集は、たとえ思い通りにならなくとも、それでも生きるのだ、それが生きることなのだと、どこか諦めを纏って僕に語りかけているような気がしてならない。

青山ブックセンター　二〇二一年夏の選書コメント

NHK東北ツイート聞き語り旅

一日目　福島の美味しいものたちを

一日目。

たいへんな状況に陥って困っている人たちに対して、いったいどのように接すればいいのだろうと僕はいつも思い悩む。それは別に自然災害の被害にあった人に対してだけのことではなく、日常の中でも、そうした悩みは尽きない。

僕には結局のところその問題を解決することも、助けることもできないのに、何かをしている気にはなれないし、だからといって目をつむってやり過ごすことも望まない。

どうすればいいのだろうと悩みながら、とりあえず僕は自分の気持ちを優先することにしている。相手のためではなく自分のために行動する。自分がおもしろいと思うこと、楽しいと思うことをやる。それが結果として何かの役に立てばいいし、立たなくとも別に構わない。少なくとも僕自身は楽しんでいるのだから。

今日は応援のしかたを一つ学んだ気がする。目の前に置かれた選択肢の中から選ぶのではなく、もっと貪欲に求める。そうやって自分をもっともっと楽しませる。自分自身を喜ばせる。それが結果的には、困っている人たちへの応援につながるのかもしれない。

たくさんある福島の美味しいものたちを、ただ店頭から選ぶのでなく、もっと積極的にあれが欲しい、これが食べたいと声に出して求めていこうと思った。

不思議なバーチャル旅。さて、明日はどこへ行くことになるのだろう。

NHK震災プロジェクト特設サイト　二〇二一年三月一日

二日目　それでも見えない的を思う

二日目。

架空の旅で泊まった温泉宿の近くには、何軒かの射的場があった。もう少し暖かい季節になれば、湯上がりにふらりと散歩に出た客が、興味をそそられて遊ぶこともあるのだろう。もちろん、客は浴衣を着て下駄を履いているはずだ。

射的は簡単そうに見えてなかなか難しい。手元でのわずか数ミリのずれが、的のあたりでは数センチのずれになる。競技アーチェリーともなれば七十メートル先の的を狙うのだから、ずれはもっと大きくなるだろう。

今日の空想旅行で話を聞かせてくれた三人は、三人とも「大切なのは物ではなく人だ」と言った。人との縁。出会い。支え合い。コミュニティー。そういう単語を口にした。

人間は単独で生きるようにはできていない。群れをなし、社会をつくらなければ生きていけない存在だ。どんな状況になってもそれは変わらない。だから僕たちは苦しいときほど、誰かに支えられたいと思うし、誰かを支えようとする。

同じ日に、ほとんど同じところから出発しても、ほんの少しばかり、状況や立場や考え方が違えば、歳月とともにその差が広がっていくのは射的に似ている。同じ方角へ向かう者は、互いをせめて横目に見ることはできるかもしれないけれども、反対側へ向かった者の姿はやがて目に入らなくなる。

見えなくなった者たちを、それでもなお心の奥にとどめておく。自分たちとは違う状況にある者の存在を忘れずにいる。それが想像だ。

たとえ互いの居場所が遠く離れて物理的に支えることができなくなっても、それでも、想像し続けることはできる。その想像力こそが、大きな厄災から立ち上がるときに僕たちに最も必要な武器なのではないだろうか。本気の想像は、きっとアーチェリーよりもはるかに正確に的へ届くだろう。そのための想像力をもっと持ちたい。三人の話を聞きながら、僕はそんなことを考えていた。

NHK震災プロジェクト特設サイト　二〇一一年三月二日

三日目　切り離すことはできない

三日目。

架空の旅だから、たいして体は疲れないだろうと思っていたら、それはとんでもなく甘い認識で、むしろ実際に移動をともなう旅のほうが楽なんじゃないだろうかと思うほど、一日が終わるとぐったりと疲れている。たぶん長く座り続けていることや慣れない機械を操作していることが原因なのだろうけれども、それだけではない気がする。

気を遣わずに気軽に雑談をしたい、「あの日」のことではなく、最近の話を聞きたい、そう思って出かけたはずの空想旅行だし、実際に十年前のことについては触れないようにしているのに、それでも誰かに話を聞くと、やっぱりどこかで「あの日」の話題が出てくるからなのだと思う。そして、どれだけ気を遣わないつもりでも、僕はやっぱりその話題になると必要以上に気を遣ってしまう。

けれどもそれは当たり前なのだ。今日は昨日につながっていて、今月は先月につながっている。そこに切れ目はない。日付はただの数字に過ぎず「あの日」からの毎日が積み重なって三六五四日になっているのだから、今ここにいる人たちを「あの日」から切り離すことなんてできないのだ。

誰だって、今考えていること、やっていること、これからやろうとしていることと、それらはすべて過去の体験から生まれているのに、僕は震災の当事者については、まるでそれを無いものとして扱おうとしていたのだろう。

わざわざ「あの日」のことを聞く必要はないけれども、だからといって「あの日」を無理やり避けるのだって不自然なことで、ようやく僕にはこの疲れの原因がわかったように思う。

どうすれば、僕はもっと自然体になれるのだろう。悩みながら明日も空想の旅に出る。


NHK震災プロジェクト特設サイト　二〇二一年三月三日

四日目　覚悟を持ってつなぐ人たち

四日目。

もちろん全員ではないけれども、たとえばフランスのパリに長く住んでいたことがある人の中には、折に触れて「パリではさ」なんてことを口にしがちな人がいる。

話題はなんだっていい。ものごとへの向き合い方や考え方、あるいは生活様式や礼儀作法など、いろいろな場面で彼らはパリでの正しい振る舞いを教えてくれる。

その人が実際に体験したことだから嘘ではないのだろうけれども、だからといってそれがパリのあらゆる人々の暮らしなのかと問われたら、決してそうではないはずだ。同じ街に暮らしていても住んでいる地区や、所属するコミュニティーによって、それぞれの「パリではさ」があるのだと僕は思う。

翻って見れば、それは僕たちだって同じことで「東京ではさ」「日本ではさ」と語るとき、その東京や日本は、あくまでも僕の知っている短い期間と地域の話でしかないのに、話している僕は、それがまるで東京や日本そのもののように語っている。

僕の知っていることなど、知らないことに比べればわずかなものでしかないのに、まるで自分がすべてを知っているような気がするのは、僕が自分の体から抜け出して、他者の目を持つことができないからだ。

当然のことながら、僕は僕が知っていることしか知らない。僕の知らないことは知らない。

災害の被災地についても同じことで、どれほど現地に足を運んでも、どれほど多くの人の話を聞いても、僕に知ることができるのは、ほんの一部でしかない。だから僕にできるのは、僕の知っているあの場所の話、僕が出会ったあの人の話だけで、被災地の話などできるはずもない。

それは僕に限ったことではない。

僕が東京を日本を語りきれないように、たぶん地元に暮らす人も被災地を語り切ることはできない。誰だって、できるのは自分の話だけなのだ。

けれども、誰もが自分にできる話を丁寧につなぎ合わせていけば、もしかするといつの日にか大きな地図が描けるかもしれない。

異なるコミュニティーに所属する人たちをつなぎ、広い視点で全体と未来を俯瞰し、そしてそのために何度も足を運び続ける。覚悟を持って人と人をつないでいく。

たぶん今日、そんな覚悟を持っている人たちに僕は出会ったのだと思う。


NHK震災プロジェクト特設サイト　二〇一一年三月四日

五日目　支える人を支える知恵

五日目。

何か困った状態に陥っている人を見かけたときに、彼らを支えたいと思うのは、自然な感情なのだけれども、それではいったいどうやって支えるかを考えるには、きっと感情だけでは足りなくて、そこには知恵と工夫が必要になってくる。

ただ感情で突っ走るのではなく、その感情が息切れしたときにもちゃんと支えが続いていく仕組みをつくり上げるまでには、支える側にも試行錯誤と失敗が何度もあるだろうし、それでもなお諦めない粘り強さが求められるのだと思う。

どうしても僕は、目の前で困っている人を面と向かって支えることに、どこか躊躇いを感じてしまって、なかなか気軽に踏み出すことができない。それはたぶんそこに哀れみや同情心が紛れ込んでいるのではないかと自問するからで、かわいそうだから、困っているから、被害者だから支えるのではなく、その希望や夢の実現を支えるほうが、どうやら僕には向いているようだ。

「もちろんこの町の役に立ちたいけれども、ずっとこの町にいるかどうかはわかりません」「私だっていつまでもいられるわけじゃありませんから」

今日、話を聞いた二人はそう言った。遠いようで近い未来を見ていた。

彼らは、自分たちがいなくなっても支えが、あるいはそのほかの何かが、この先もずっと続いていくことを考えていた。そのために知恵を使おうとしていた。

もしも彼らのような支える人をうまく支える仕組みがあれば、たぶん僕は何も躊躇うことなくその仕組みに参加するだろうし、ぜひ参加したいと心から感じた。

ＮＨＫ震災プロジェクト特設サイト　二〇二一年三月五日

六日目　明日からの旅へ

六日目、最終日。

かつて『ゆっくり歩いていこうと思っていた』と題した文章を書いたことがある。流行りものは廃りもので、声高に叫ぶ者はやがてその声を枯らし、大きな荷物は一度運べば体力の多くを失ってしまう。だから僕は小さなことを、自分にできることを、つまり復興の支援などではなく、ただ足を運ぶことを長い時間をかけて続けていきたいと思っていたし、今でもその思いは変わらない。

ところが今回は、コロナウイルスをはじめとするさまざまな情勢から、その足を運べなくなってしまった。何の使命感も持たない、いつもフラフラとしている僕が、ただ遊びに行くことさえできないのだ。現地に行くことだけが僕にできる唯一の関わりかただったのに、それができないとなるとこれはもう頭を抱えるよりほかない。

今回、僕たちの試したネットを使った空想の旅は、思えばそんな状況の中で苦肉の策として捻り出したプランBでしかなく、正直に言えばおもしろくなるかどうか、まったく自信がなかった。僕の旅に特有のハプニングが起きる要素はほとんどないし、ビデオ会議を通じた会話では、いったいどこまでの話が聞けるかもまるで見当がつかなかった。

ところが実際に空想の旅を始めてみれば、僕の考えていた以上におもしろい旅になったように思う。なぜおもしろくなったのか。実のところ、理由はよくわかっていない。

けれども、互いに無口になる瞬間があり、冗談を言いあい、ときにはまじめに会話をし、どうでもいいことでバカ笑いをするその様子が、たぶん本当に旅をしているのと同じように感じられたからじゃないだろうかと思う。

そして、六日間、それらの一切を切り取ることなくそのまま配信したことが、みんなでいっしょにバス旅行をしているような感覚を生み出したのではないだろうか。そんな気が僕はしている。

この空想の旅にはもともと目指すべき目的地はなかったのだけれども、僕には向かうべき方向だけはわかっていた。

行き先は未来。そう、これはあの日から明日へ向かう旅だったのだ。だから旅はまだ終わっていない。

あの日から三六五四日間を旅してきた僕たちは、明日からもそれぞれの旅を続けていくのだから。


NHK震災プロジェクト特設サイト　二〇二一年三月六日

人生は謎

僕にはどこか引きこもりっぽいところがあって、家でゴロゴロとテレビを見たり本を読んだりしているのが好きで、大勢の人がいる場所に行くことや、知らない人と会うのはすごく苦手なのに、なぜか定期的に知らない国で知らない人とあれこれやりとりをしてトラブルに巻き込まれて疲弊しているから人生は謎。

体重計に乗らなければ、正月太りは発生しません。(すごいライフハック)

ヒットソングにＤＸが必要!! 時代はＤＸ!!　サウンドはどんどんＤＸ化しなくてはならない!!

たぶん、日本が先進国だったことは一度もないんじゃないかな、と思っています。

トップが行き当たりばったりに口にする思いつきを、現場がクッションとなって、なんとかやりくりしながら上手く治めていくってのは、江戸時代のバカ殿あたりから続く日本の伝統なのかもしれん。

母さん、僕のあの、アレどうしたでしょうね。ええ、あのとき、あそこからあそこへ行く道であっちのほうへ何したあのアレですよ

秋の文学フリマ東京には、ホットな新曲を引っさげて参加するぜベイベー。(そう言いながらベースを引っ張り出す)

僕に「文学」の定義はよくわからないけど、想像で現実をぶん殴るのが「文芸」の面白さだと思っている。言葉の芸で、どこをどう殴るか。そのへんは書き手次第。

車椅子で電車に乗るとき、イギリスだとわざわざ駅員さんが対応するんじゃなくて、そのへんにいる乗客が「ほらよっ」ってみんなで載せてくれるんだよね。

書き終えて頭から読み声に出す　そうさ原稿これはボツだよ

街じゅうの明かりの消えし闇の中　いつしか進む聖の灯火

金なのかすべては金のためなのか　それにつけても金の欲しさよ

パラパラとめくる手帳の古ページ　答えはここにもう書かれてた

ぼんじりと　ハツ皮ネギマ二本ずつ　レバー手羽先　塩でください

枝豆とモツの煮込みと酢の物とタコの唐揚げビールは生で

グローブで陽射し遮り男子らがセブンイレブンセブンイレブン

床を踏む己の足の頼りなさ祖母の歩みをふと思い出し

顔中に笑顔はじける子供らの瞳の先の未来幸あれ

運なのに

頭がよくて自信があって難しい勉強もしていて、実際にバリバリ働いているタイプの人たちが、仕事があまり得意じゃない人や、ものごとがうまく行っていない人たちを小馬鹿にするような発言をしているのを耳目にすると、ちょっと悲しくなるというか、どこか怖いような気持ちになる。

「ほぼほぼのスケジュール感」

男子6人くらいで女子1人分の仕事しかできない。

体調が悪い。頭はもっと悪い。

カレーライスに生卵を入れてグチャグチャかき混ぜるのは合法。

馬が埋まった。

とにかく世の中のほとんどのことは、めんどうくさいのだ。

たとえスーパーコンピューター富岳をつかっても、僕の請求書はつくれない。

プランBを覚悟しながら、プランAに最善を尽くす。何においても必要なこと。

世界中が、かわいいものと、かっこいいもので満たされたらいいのになあ。

さあ、明日は毎年恒例の「上と下から同時にカメラを入れて体の中でこんにちは！　ってできませんか?」と聞いて、冷静に「できません」って返事される日です。術後7年、毎年同じこと言ってる。

いいですか。今から2時間経つと、2時間後なんですよ。

どうやら僕は鼻詰まりになった気がします。なぜならば鼻が詰まってきたからです。

僕は主体性がないから、文体模写わりと得意なんです。

の頭たれらげ下と々深
はに側うこ向
やさし嬉やさし悲
や心安やさし悔
やさなけ情やり怒
や顔笑や息めた
やさしかどもや惑困
や常日非や常日
になんそらかだ
いさだくでいなげ下を頭
になんそぞうど
いさだくでいなげ下を頭

深々と下げられた頭の
向こう側には
悲しさや嬉しさや
悔しさや安心や
怒りや情けなさや
ため息や笑顔や
困惑やもどかしさや
日常や非日常や
だからそんなに
頭を下げないでください
どうぞそんなに
頭を下げないでください

「僕、ミ○キーマウス。お酒とタバコと競艇が大好きなんだ！」

「僕、ミ○キーマウス。いつもコンビニの前に座り込んで、ワンカップ焼酎飲んでるよ」

「僕、ミ○キーマウス。ラッセンの絵、買わない？」

「僕、ミ○キーマウス。スイス銀行に入金してね」

「僕、ミ○キーマウス。だいたい示談でかたづけるよ」

「僕、ミ○キーマウス。だいたい示談でかたづけるけど、出るとこ出たって構わないんだぜ」

◻カメラのせいじゃないよね

目下、新刊の原稿書きの佳境にいるというか、もはや〝魔境にとらわれている状況〟（Ⓒ名久井直子さん）なので、こんなところに駄文を連ねている場合じゃないんだけれども、ずっと同じことを考え続けていると脳が思考を拒否し始めるので、休憩がてらｎｏｔｅを書いている。

ほぼ日の運営する犬猫アプリ「ドコノコ」で五年の間、一日も休まずに連載していた「編集部より」のコーナーが終わってしまって、ちょっぴり手持ち無沙汰になっている。その日の天気だとか、体調だとか、犬猫を見て思ったことだとか、本当にたいしたことは書いていなかったんだけど、毎日必ずやることがなくなってしまうと、やっぱり寂しいものなのだ。

その、たいしたことのない日々の記録をまとめた本はこちら。

『ねこかもいぬかも』

ぼんやり読めるのでぜひ。

さて、映像をつくりたいという若者から「どんなカメラを買えばいいのでしょうか？」と質問された。これはとても難しい質問なんですよ。自分が何を撮りたいかによって、ぜんぜん変わってくるんですよね。

個人でドキュメンタリーをつくったり、友人知人のインタビューを撮ったりするのであれば、小回りの利く軽いビデオカメラがお薦めですし、スポーツ映像ならハイスピードで撮れるものが便利です。選手や用具に取り付けてプレイヤー視点で撮影できるアクションカムなんてものもありますしね。

映画を撮りたい、プロモーションビデオが撮りたい。そんな場合には、もちろんデジタルシネカメラを回すのが一番いいのですが、バイトにあけくれる若者におおいそれと手の出せる金額ではありませんから、動画も撮れるデジタルスチルカメラを使うのがよさそうです。動画も撮れると言いつつ、むしろ動画がメインでスチルも撮れる、なんてカメラもたくさん出てきていますから、その中から選ぶといいでしょう。

レンズが選べること、ダイナミックレンジが広いこと。そのあたりをちょっぴり気にしておけば、あとは好きなものでいいと思います。個人的にはフルサイズよりもＭＦＴ規格のほうが、小さいし軽いし、映像がボケすぎないので便利だと思っていますが、そのあたりは、まあ完全に好みです。

僕としては、あまりカメラにこだわりすぎず、撮りたいものをどう撮るかに集中するほうがいいと思います。

若者には「もちろんカメラも大事だけれども、同録するのなら、しっかりと音声の撮れるマイクを買うほうがいいよ」と僕は答えました。


多くの人は映像作品をつくるときに、撮影のことばかりを考えるようです。でも、その前に企画、脚本、ロケ場所、美術、衣装、照明、そしてもちろん出演者の準備をしっかりすること。撮影した後には編集、音楽、効果を丁寧に行うこと。撮影と同じようにそちらも重要です。いや、むしろ撮影以上に重要かも知れません。

特に音は、映像に感情を乗せるための重要な要素の一つです。映像は映像単体ではそれほど強い力を持ちません。だから音を疎かにしてはならないのですが、慣れないうちはどうしても忘れがちになるようです。

極端に言えば、音さえ丁寧に録っていれば、映像の撮影に失敗しても、静止画だけで作品をつくることだってできるのです。

多くの映像作品は、画面に映るものすべてに意味があります。必要なものは入れ込み、不要なものを外す。それだけでもかなりすっきりします。

会社で会議をするシーンが、明らかにレンタル会議室だと勿体ないのです。ちゃんと本物の会社になるように美術を工夫するか、あらゆる伝手を辿って、無理をお願いしてでもイメージ通りの会議室を借りて撮るのです。

カメラの話を始めると、ルックがどうだ、Ｌｏｇで撮れる撮れないだの、解像度がどうのこうのと、やたらと難しいことを言う人がたくさんいますが、今どきのデジタルカメラであれば何を使ったって、かつてハリウッド映画に使われていたフィルムカメラなんかよりも遥かに優秀です。遥かに優秀なのに、かつてのハリウッド映画よりもしょぼいものしか撮れないのであれば、それはカメラのせいじゃありませんよね。そういうことです。

著名な映画監督の使っている高級なデジタルシネカメラで撮影すれば、たしかに映画っぽい映像は撮れるかも知れません。けれども、それは単なる映画っぽい映像に過ぎません。その作品が人の心に届くとは限りません。
やっぱり、一番大事なのは「何をつくりたいのか」なのだろうと僕は考えます。

「note」二〇二二年七月十八日

現代の広告代理店って、もちろん一つの会社なのだけど、いわば巨大な問屋街のようなもので、そこに行くとたいていのものが揃うし、無いものは探したり作ったりしてくれる。自分でやるとものすごく手間のかかる調査や連絡・調整に相応の費用が発生するのは当然。でも、支払が手形なのはやめて欲しい。

この僕の今のやる気の無さを全世界に知らしめたい！！！

お布団ってのは入るものであって、出るものではない。

本能寺は変

いまの若い人たちが、炎上どころでは済まないようなことを気軽にできないの、ちょっとだけ可哀想な気もするけど、まあ、やっちゃダメだからな。

プロ焼肉選手

アカウン党から非礼代表で出馬。

腹立たしいテレビ番組は、さっさと消すのが正解。わざわざ見て怒る必要なし。

パンダの交尾をニュースにして騒ぐのであれば、天皇皇后のベッドインは生中継くらいしなきゃダメなんじゃないのか。彼らの跡継ぎ問題について、好き放題にあれやこれやと口出ししているひとたちは。

心の2車線左側通行。

足早に通り抜けて行く人たちは、
今はもう誰の眼も見ていない。
瞳に映っているのは、
背中と靴とオレンジ色のドア。
その手に持っているのは
堅くて四角いプラスティックのカード。
朝靄に叩きつけるようにしながら、
ドアを開いて進んで行く。
時間に取り残されないように、
明日に間に合うように。
繰り返される開閉運動に、
僕は目がまわりそうになる

選手が見る風景を僕は。

応援している選手やチームが得点を入れると、あるいは勝利すると、僕はまるで自分が点を入れたり勝ったりしたように感じる瞬間があって、別に僕自身が体を動かして戦っているわけでもないのにそんなふうに思うのは、たぶん僕が選手とどこか一体化しているからなのだろう。

どうやら客席に座ったまま、僕の心の一部は選手の中に入り込んでその内側から見える世界を想像し、勝手に嬉しくなったり悔しくなったりしているようだ。自分の意思とは関係なく声が出て、思わず腰が浮き上がる。ギリギリの攻防が続けばアドレナリンが全身を駆け巡り、体に力が入り、鼓動が早くなる。ある瞬間、僕はまちがいなく選手と一緒にプレイしている。そのプレイを体感している。

もちろん実際には、彼らのようなスピードで走ることも、高く飛ぶことも、遠くへ投げることも僕にはできない。それでも選手と一体化した僕は彼らと同じところに立って同じ風景を見ているし、まるで自分がそのプレイをやっているかのように感じている。

スポーツは残酷だ。僅かな運の差で何年もかけて積み重ねてきたものはあっという間に崩れ去ってしまうし、勝利を手にしたとしてもその栄光は瞬間的なものでしかない。どれほど強く偉大な選手であっても永久に勝ち続けることはできず、いずれは勝利を手放すことになる。

それはどこか僕たちの人生に似ている。たいていの人生は思い通りにいかないことばかりだし、ほとんどの挑戦は失敗に終わる。たとえ上手くいっても長くは続かないとわかっているから、つい途中で諦めそうになる。けれども選手は諦めない。たった一瞬のために全力を尽くし、孤独な営みを続けている。

選手と一体化するとき、僕は自分がとっくに投げ出してしまったもう一人の自分を彼らの中に見ているのかもしれない。どこまでも諦めずに戦い続けた自分の姿、すべてが上手くいった自分の姿を重ねているのかもしれない。

ゆっくりと動き始めた電車の車窓から、向こう側のホームに立っている友人に軽く手を振ったら、しだいに小さくなっていく友人が僕に向かって手を振り返してくれた。このとき遠ざかっていくのは友人なのか、それとも僕なのか。ふと、そんなことが頭に浮かぶ。

僕から見れば遠ざかるのは友人なのに、彼から見ればもちろん僕が遠ざかっているわけだし、ちょっとややこしいけれども、お互いが同時に遠ざかっているのだと考えることだってできる。うろ覚えの物理学を持ち出すまでもなく、たいていのものごとは、どちらか一方だけが相手に力を与えることはなくて、与える側もまた、同じだけの力を与えられている。

応援も同じようなものじゃないだろうかと僕は考える。

選手たちを応援するとき、僕はただ応援するだけではなく、たぶん同じだけの力で応援されている。彼らを通して自分自身に応援されている。だから僕はスポーツから力をもらうのだ。当たり前の話だけれども、応援には相手が必要で、自分一人で応援することはできない。受け止めてくれる相手がいなければ、僕の応援は空回りしてしまう。

もう三十年以上も前の話になる。僕の通っていた高校では、冬になると体育の授業の一環として裏山を縦走する学年別のマラソン大会が開かれていた。走り始めるのは一年生の女子からで、僕たち三年生の男子は最後にスタートする。

ラグビー部に所属していて長距離走がわりと得意だった僕は、今年こそは陸上部の連中に勝つのだと、つまり、かなり本気で走っていた。スタートの混雑に巻き込まれてちょっと出遅れてしまったものの、それでも途中でなんとかペースを立て直した僕は、高低差のある山道を延々と何キロも駆けながらどんどん他の生徒を追い抜き、いよいよゴールへ向かう最後の登り坂に差し掛かった。見上げる坂の先にゴールはある。このまま行けば一〇位以内は確実だ。

道の両側には先に走り終えた生徒たちがずらりと並んで、三年生男子の走りを眺めていた。目の前に見えているのはまさに陸上部員の背中で、僕は横腹の痛みに耐えつつ、どうにか追いつこうと必死で腕を振っていた。もう少しで追いつける。追い越せる。腕の振りに合わせて息を二回吸って二回吐く。足が地面を蹴る瞬間を強く意識する。

突然、両側の沿道にいる生徒たちから「がんばれー」「がんばってー」という声が次々に上がり始めた。

その声が耳に入ったとたん、それまでずっと保ち続けていた緊張感や闘争心が、なぜか突然僕の中から消えた。僕は走るのを止め、ゆっくりと歩き始めた。どうしてもそれ以上走る気になれなかった。後ろから来る生徒に抜かれることも気にせず、僕はそのままゴールまで坂道を歩いて登った。僕に向けられていた「がんばれ」は、いつしか止んでいた。

ゴール地点で先生から「どうして最後までちゃんと走らなかったんだ」と叱られたのだけれども、自分でもどうしてなのかはわからなかった。

いや、なんとなくはわかっていた。僕は、あの「がんばれー」「がんばってー」がどうにも腹立たしかったのだ。

僕はもう充分にがんばっているのに、なぜ他人からがんばれと言われなければならないのか。僕はお前たちのために走っているわけじゃない。自分のために走っているのだ。それなのに、その声を受けたまま走り続ければ、まるで彼らのために走るみたいじゃないか。そんなのは嫌だ。

「がんばれ」と言われてがんばる気がなくなってしまうのは、もちろん僕の天邪鬼で面倒くさい性格が災いしたからに他ならないのだけれども、とにかく僕は誰かに言われて走りたくはなかった。自分だけの意思で走りたかった。他人が僕に自分の願望を重ねてくるのがたまらなく嫌だった。だから僕は、走るのをやめて歩き出したのだった。結局、何位だったのかも覚えていない。

応援という言葉を聞くとあの日のことを思い出して僕はなんとなく苦い気分になる。応援する者と応援される者の両方に力がなければ応援は成立しない。あの日、せっかくの応援を受け止めるだけの力が僕にはなかったのだ。

受け止めきれない応援は、ときにはブレーキになるのだとあの苦い体験から知った僕は、だから、ただ選手に声をかけるのではなく、彼らの中にいる自分自身を探すのかもしれない。想像の中で、選手とともにプレイをしようとするのかもしれない。

もちろん普通に考えれば、選手に「がんばれ」と声をかけることはまちがいなく応援だし、そのチームに勝って欲しいと願うことだって充分に応援だろうとは思う。

けれども、相手と同じ場所に立とうとすること、彼らの中から見える風景を想像し、同じ景色を見ようとすること。自分の望みを託すのではなく、相手の望みを叶えたいと願うこと。それが本当の応援なのではないだろうかという気がしているのだ。

選手を応援するとき僕は彼らの中にいる。彼らの望みと僕の望みが同じ方向を向いたとき、僕の応援は彼らと共にいる自分への応援に変わっていく。

僕は応援することで応援され、応援されることで応援している。

そして、それはスポーツに限らない。どんなときにだって、応援する者と応援される者の見る風景が一致すれば、僕たちは共に目指すべき大きな夢を手に入れることができるに違いない。

思わず口に出る「がんばれ」は、きっと僕たち自身に向けられる言葉なのだ。

だから、がんばれ。みんな、がんばれ。

この小文は、アシックス・スポーツ応援プロジェクト「#応援したいスポーツ」コンテストの参考作品として主催者の依頼によりｎｏｔｅへ掲載したものです。

二〇二〇年四月十四日

□今の僕たち

何件か金を振り込む必要があって銀行へ行った。窓口ではなくATMで振り込むほうが手数料が安いからATMの列に並ぶ。ちなみにATMはオートマチック・テラー・マシーンの略語で、キャッシュ・ディスペンサーとは違う。ATMは現金自動預け払い機、CDは現金自動支払い機で、預け入れ機能の有無が違っているのだ。

そのATM機の上に紙コップが置かれていた。近くのコーヒーショップの紙コップで、手に取ると空っぽだった。屑入れに捨てたいのだが、あいにくATMのそばには紙ゴミを捨てるスリットしかなかったので、振り込みを済ませたあと、僕は紙コップを銀行の入り口にある屑入れに投げ入れた。

首都高三号渋谷線を用賀から渋谷に向かって走っていると、三軒茶屋の入り口

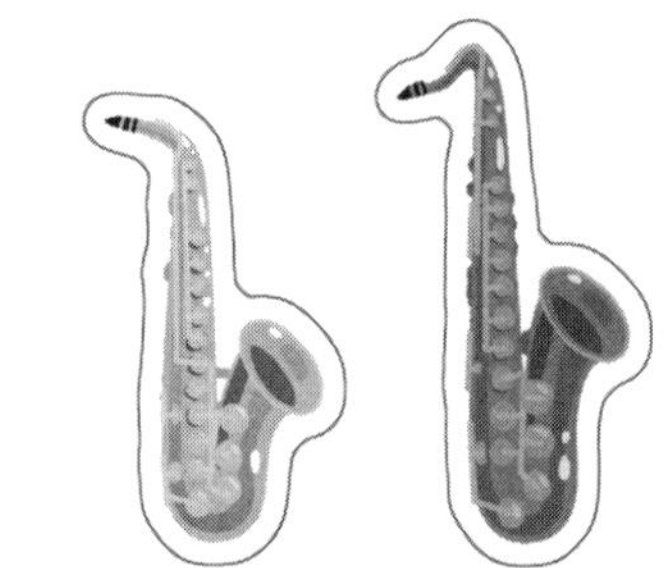

手前あたりで急に二車線から三車線になる。三軒茶屋から高速に入ってくる車と、その先の池尻で高速を降りる車のために、右側に一車線増えるのだ。朝の混雑した時間帯にここへ差し掛かると、池尻で降りる車に混ざって右側の車線に入ったまま、けっきょくは降りずに、まるで三軒茶屋から入ってきたかのように、すっと先へ進んで再び車線に戻ってくる車がいる。並んでいる車を追い越して、ずいぶん先へ進むことになる。ここに限らず、高速道路で渋滞していると、路肩を走って先へ行こうとする車を見かけることは少なくない。

仕事場の近くに自販機が何台か並んでいて、その隙間に空き缶とペットボトル専用のゴミ箱がある。丸い投入口がついているあれだ。ときおりこのゴミ箱はいっぱいになっていて、投入口から、あきらかにお弁当のガラが詰まったコンビニ袋が見えている。お菓子の箱が突っ込まれていることもある。

そういうことなんだなあと思う。これが今の僕たちなのだなあと思う。

ロテトリス

いろいろな大きさや速さの歯車が同時に回っていて、どれか一つでも動きが狂えば全てがおかしくなり、機械そのものが壊れてしまう。ギリギリのところで僕はたぶん自分自身をもごまかしながら歯車を動かしている。

まるでテトリスだなと思った。次から次へと落ちてくるブロックをなんとか整えて揃えて一段ずつ消していく。うまく揃えられなかったら、奇妙な空白を残したままブロックは積み上がり、消しても消してもなかなかその空白にまでたどり着くことができない。当面は目先のブロックを、いちばん上の段を消すことに神経を注ぎ続けるしかない。

この半年ほど、かなりタイトなスケジュールで動いていて、特に九月から十一月にかけてはラグビーのワールドカップがあるわ、文学フリマもあるわ、北海道復興支援の旅をやるわで、通常よりも遥かに動く量が多くて、ただでさえ遅れ気味の原稿があれこれとずれこんでしまった。なんとか立て直そうと、十一月の前半に無理やりスケジュールをこじ開けて、遅れていた原稿を一気に進めようとしていたら、体調不良でダウンしてしまった。

回復してからとりかかれたらよかったのだけれども、回復したときにはもう次のスケジュールが決まっていて、これは動かすことができない。さらにそのあとも動かすことのできないスケジュールが続くどころか、いくつも重なっていて、とりこぼした十一月前半のものに手がつけられないまま今に至ってしまった。

それはまさにテトリスのようで、過去の空白を埋められないままどんどん新しいブロックが積み上がっていくのだ。なんとか目先のブロックを全て消すことができれば、すっぽり空いたままになっているあの空白地帯に正しいブロックを投げ込んで一気に処理できるのに、とにかく目先の作業をこなすだけで精一杯になっている。早く手元にあるいくつかのものごとを片づけて、あの十一月前半に戻りたい。戻らないといけない。

「ｎｏｔｅ」二〇十九年十一月三十日

◻もうこれ以上は入らない

先だって、ほぼ日の運営するリアルショップTOBICHIで「かも書店」なる選書書店をやった。僕の本と友人知人関係者の本に加えて、自分の好きな本、誰かに読んでもらいたいと思う本をありったけ並べてみるという、もはや完全に趣味の書店である。

最初は二十冊ほど選んでくださいねと言われていたものなのだが、選んだ本が絶版になっていたり出版社に在庫がなかったりすると、せっかく売ろうにも売れないし、何よりも選んだ僕が寂しいので、多めに用意しておいてダメなものを外す方式にしようと選書したら、結果として二百五十冊以上という、完全にキャパオーバーの選書になってしまって、たぶん出版社からの取り寄せやら返送やらでTOBICHIのみなさんにはご迷惑をおかけしたのだろうなと思っている。

思っているが反省はしない。だって選び切れなかったんだからしかたがない。

選んだ本の中には、書かれている内容ではなく装幀で選んだものもそれなりにあって、もちろん書かれているテキストこそが本の実質なのだろうけれども、僕にとって本とはやっぱり物理的な存在でもあるんだよなあとあらためて実感した次第である。装幀って、テキスト以上に本の実質を表していることもあるんじゃないかな。ジャケ買いだってするんだし。

出版社から取り寄せたものはもちろん商品なので、選書した二百五十冊ほどを、見本用として僕の仕事場から「かも書店」にぜんぶ持ち込んだのだけれども、いざイベントが終わって、それらの本を仕事場に持ち帰ると、これがなぜか元の書棚に入りきらないから不思議で、なんだか子どものころにミシンやらラジオやらを分解して組み立て直すと必ず部品がいくつか余ったのに似ている。

しかたがないので新しく書棚を買った。

スライド書棚というやつで、とにかくもうたっぷりと本が入るのが売りなのだが、持ち帰ったまま積み上がっていた本を、組み立てたばかりの書棚に並べてみると、きれいに全てが収まったところで完全に埋まってしまった。

もうこれ以上は一冊の本も入らない。

はたしてどうしてそうなるのか。「かも書店」をやる前は、いったいどうなっていたのか。なんとも謎なのだ。

🐦クリスマス・イブは「クリスマスの夜」って意味だから「イブイブ」ってものはないんだぞ。ちなみに24日の日没から25日の日没までがクリスマス。24日の日没後がクリスマス・イブだぞ。

🐦今年はお寿司が大漁？　寿司畑も豊作⁉

🐦タンスのダジャレに加担す。

🐦ダフとパンクが解散するって⁉残念だなあ。ロバーとデニーロも、ベニチオ・デルとロも仲が悪くなってもまだ続いているのに……。クリンとイースとウッドなんて3人組だけどものすごく長く続いているし。

🐦岸政彦さん監修の『東京の生活史』。版元ドットコムで見たら1216ページと載っていてどういうこと⁉　ってなった。古川日出男さんの『おおきな森』で900ページだぞ。犯行現場に残ってたら確実に凶器認定されるぞ。

🐦シャウエッセンを発見した人は、ノーベル賞を貰ってもいいと思うんだ。

🐦ハイクスリ、ノータリーン

🐦僕はバカだから言いますが、僕はバカですよ。あと、僕は糖質制限しているから、ごはんは2杯までだよ。なお、うどんは細長いから糖質制限の対象外です。

🐦お茶漬けは、お茶じゃなくて白湯をかけるのが好きです。

🐦明日は肉林日と毛ガニ日が重なるたいへん珍しい日です。肉林日と毛ガニ日が重なるのは688年に1度しかないそうです。前回は建武元年。後醍醐天皇が建武の新政を行ったのもこれが理由だと言われています。

🐦帯に「どんでん返し」って書いてあると、ああ、この本は僕向けじゃないなあって思って手を出しづらくなる。

🐦笑うカドに足の小指をぶつけて泣く

🐦いま書いている小説、自分ではめちゃくちゃおもしろいと思っているんだけど、たった一つだけ大きな問題があって、まだ一行も書けていないことです。

🐦最近「モノタロウ」ってサイトが好きで、よく見ているんだけど（ときどきDIYのパーツも買ってる）、先日、そのモノタロウから手紙が届いた。なんと僕、株主だったらしい。たぶんまだサービスが始まったころに「このサイト好きだな、応援したいな」って思って買っていたみたい。すっかり忘れていた。

🐦あの子は、お薬をうってかわってしまったの。

🐦人間の致死率は100％
何をしてもいずれ死ぬんだよね。

🐦僕の水分ぜんぶ抜く。

🐦かつて、マヨラーと呼ばれる一族がいた。

□疲れていたい

映画やドラマのセリフではもちろんのこと、現実の世界でも、マッサージを受けているときによく耳にする言葉がある。

ここでのマッサージとは、いわゆるマッサージ的なもの全般を指しているのであって、厳密なマッサージではない場合もあることは、予めご理解いただきたい。そうなのだ。マッサージはたいへんなのだ。

「昨日とても疲れていたのでマッサージを受けたんです」なんて書くと、あん摩マッサージ指圧師や柔道整復師などの団体から「資格のない者がマッサージや指圧などの手技を行うことは法律で禁止されているが、その人は資格者なのか?」などと苦情が入ることがあるので、公共放送ではマッサージという言葉を使うことにはかなり慎重で、資格がない場合には別の言葉を使うことになる。

本題は、その人が資格を持ったマッサージ師かどうかではなく、もっとその先にあるのに、本題に入る手前の段階で苦情が入るものだから、あれこれ先回りしてガードを固めているうちに、本題に至るまでの道筋が複雑になって、結局よくわからない本題になってしまうことがある。今はたまたまマッサージを例に挙げただけで、それは別にマッサージに限ったことではない。

僕は公共放送ではないので、わかりやすくマッサージと書く。本題は施術中の会話にあるので、資格があるかどうかはどうでもいい。それはそっちでやってくれ。

さて、ここまで長かったが、ようやく本題であります。

映画やドラマのセリフはもちろんのこと、現実の世界でも、マッサージを受けているときによく耳にするのが、例の「いやー、お客さん、凝ってますね」だ。「凝ってますねー」以外にも「いやあ、硬いですね」とか「ずいぶんお疲れですね」とか「鉄板が入っているみたいですね」なんてバリエーションもあるが、とにかく客が疲れていることを強調する。

実は、そう言うと客が喜ぶらしいのだ。相手が疲れていることを強調すればするほど、客は「ここのところ出張が多くてね」だとか「いやもう本当ガチガチでさ」なんて嬉しそうに答えるのだという。

その感覚は僕にもなんとなくわかる。そもそもマッサージを——厳密な意味でのマッサージではないものも含めて——受けようと思うのは、たいてい疲れを感じているときだから、きっとその疲れを理解してもらえたように思うのだろう。そうでなきゃ腹が立つような気がする。

「あー、お客さん、たいして凝ってませんねぇ」

「そんなことないでしょ。けっこう凝ってるよ」

「いやー、ぜんぜん平気ですよ」

「でもほら、首の周りとかはガチガチでしょ」

「いえいえ。さっきの人に比べたら、こんなのたいしたことないですよ」

「だけど、ずっと腰と肩もつらいんだけど」

「気のせいですよ。大丈夫、大丈夫。柔らかいですから」

うわ、やっぱり腹が立つわ。

疲れるのは嫌いだけれども、こういうときはちゃんと「疲れていますね」と言われないと気が済まないんだなあ。

同じように疲れていても、病院で医者に「大丈夫ですよ、特に問題はありません」と言われたらホッとするのに、マッサージだとなぜ腹が立つのだろうか。なんとも不思議だ。

何も知識がない状態から

知識をひとつ得ると

□

何を知らないかがわかる

さらに一つ知識を増やすと

知らないことが増える

知れば知るほど
知らないことが増えていく
追いつけない。だから、おもしろい。

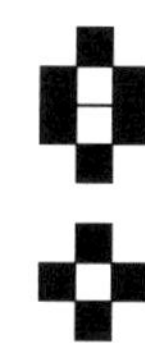
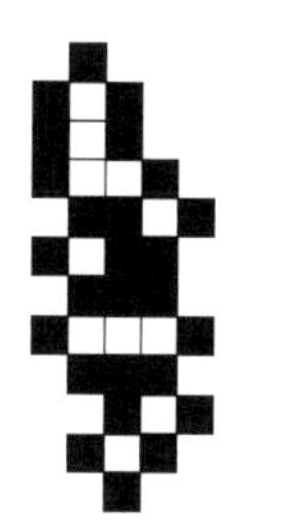

♪ 握りあえたら

ずっと待ってる　まだ来ないかと
磯の香りと　酸っぱい涙

切り刻まれて　掴みとられた
あの日のアナタ　覚えているわ

回る皿にも　期待するけど
お願いするのも　悪くないのよ

まだ子供だから　サビ抜きなの
それなのに　それなのに　Ａｈ～

エスユーエスエイチアイ
エスユーエスエイチアイ
ガリだけじゃガマンできない
シャリだけで許すはずない

エスユーエスエイチアイ
エスユーエスエイチアイ
あがりがちょっと熱すぎる
早く握って　私のSUSHIを

いつか二人で
握り合いたいのよ

□ヤバいし焦る

これはもうあちらこちらに何度も書いていることだけれども、一冊の書物が読者の元へ届くまでには、印刷から製本・流通、書店での販売に至るまで、とても多くの人の手が加わっていて、本をつくって届けるというのは、チームプレイなのだよなあといつも感じている。

そのごく最初の段階、原稿を整えて印刷にかけるというところだけでも、すでに何人もの目と手を通ることになる。僕が原稿用紙にあれこれ書いたものに対して、いや、書き始める遥か以前の段階から編集者は意見を言ってくれるし、書き終えたあとは、多くの場合には校正者や校閲者も加わって、細かく厳しくチェックし品質を管理してくれる。ありがたいことだ。

もちろん最終的な表現や言葉の使いかたを決めるのは僕なのだけれども、どれほど気をつけても僕たちは自分自身の思い込みに捕らわれるものなので、ちょっとしたミスにさえ気づかない。むしろ、ちょっとしたミスほど気づけない。だから、そこに他者の目が入るのと入らないのとでは品質に大きな違いが出てくるのだ。人は自分自身からなかなか逃れられない。自分の癖からなかなか逃れられない。それは、自分で同人誌をつくるとよくわかる。他者の目は本当に大切なのだ。

いま僕の手元には、ある校正刷りが届いている。ここには他者が他者として気になったところ、気づいたこと、疑問に思ったことがびっしりと鉛筆で書き込まれていて、僕はそれに対して書き手としての判断をしていかなければならない。それはいい。品質を保つにはそうするのがベストなのだ。

問題はその締め切りがもう目の前、近々、逼迫しているということで、本来なら、ここにこんなにのんびりした文章を書いている場合じゃないのだ。事態は急を要するのだ。これはもう本当にヤバいし焦るしヤバいし焦る。

人は自分自身からは逃れられないし、僕はこの作業から逃れられないし、迫り来る締め切りからも、けっして逃れられないから、ヤバいし焦るしヤバいし焦る。

「ｎｏｔｅ」二〇一九年十月八日

□幻想はあやふやさと引き換えに

電子マネー。僕はこの言葉がなんとも不思議に思えてしかたがない。電子貨幣でもエレクトロニック・マネーでもなく電子マネー。「電子」という、わりと堅めの専門的な言葉と、どこか軽い感じがするカタカナの「マネー」。これ、よく組み合わせたなあ。「大正ロマン」だとか「横浜エレジー」くらいの絶妙な組み合わせだと思うのだけれども、これまでの現金払いじゃない、貨幣に変わる別の何かなんだなってことはよく伝わる。

それにしても電子マネーっていったい何なのだろうか。Ｅｄｙとかｎａｎａｃｏは電子マネーだけど、テレフォンカードや図書カードは電子マネーじゃない。何にでも使えるのが電子マネーで、特定の支払いにしか使えないものは電子マネーじゃない。そう考えればいいのかな。Ｓｕｉｃａは運賃にしか使えなかったけど、今はいろいろ使えるから、電子マネーじゃなかったものが電子マネーになったと考えればいいのかな。

現金を渡して、電子マネーのカードにチャージする。さっきまで実際に手に持つことのできた現金は、今やデータになってカードの中に記録されている。さて、そのカードを使って買い物をするときにも、支払いはこちら側と向こう側のデータが書き換えられているだけで、実際には何も渡らない。

もともと利用者の幻想で成り立っている貨幣・通貨の交換が、こんなふうに単なる情報のやりとりになると、さらに幻想度が高まって、もはやファンタジーのように思えてくる。まあ、銀行の預金だって実際には現金をそのまま預け入れているわけじゃなくて、ただそういう記録があるだけという話なので、こちらもファンタジーではあるのだけれども。

貨幣という幻想を、情報という幻想で下支えすることで、僕たちの経済は回っているのだなあ。もしも何らかの事故が起きて、すべての金融データが消えてしまったら、一瞬にして全世界から莫大な資産が失われるわけだ。

電子書籍や音楽のダウンロード販売にも、似たような幻想性がある。米マイクロソフトが電子書籍の取り扱いを止めるそうで、そうなると、これまでに買った電子書籍は読めなくなってしまう。なるほど事故で消えなくとも、データを扱っている運営会社が事業を止めた瞬間に、世界からその書籍は消えてしまう。

音楽のダウンロードサイトで買った楽曲は、その作家や歌手が犯罪容疑で捕まると、その日を境に聞くことができなくなってしまう。お金を払って手に入れていた筈のものが利用できなくなるのだ。

結局のところ、電子書籍や音楽のダウンロード販売は、一定期間その作品を鑑賞できる権利を手に入れるだけで、作品そのものを所有しているわけではないのだろう。

電子書籍を買って読むのと紙の本を買って読むのとでは、どちらも本を買って読むという意味では似ているのだけれども、実際には、まるで違う行為なのだなということがよくわかる。やはり幻想は幻想なのだ。幻想を所有することは誰にもできない。そのあやふやさと引き換えに、幻想は僕たちに利便性をもたらしてくれる。

脳天にスリッパ

物理学では、何かを押すときには相手からも押されていると考える。いわゆる作用・反作用の法則だ。力は一方的ではなく互いに押し合う関係になっている。そんな力の関係をわかりやすく数式で表せるから僕は物理が好きなのだ。

人と人との関係を数式で表すことは難しい。ましてや言葉の力なんてものは、力とは言うものの、はたしてどう定義すればいいのか僕にはまるでわからない。

それでもやっぱり言葉には何かしらの力がある。人の心を動かしたり、行動を促したりする現実的な力だけでなく、ただ言葉がそこに放たれたという事実だけで、すでにある種の力を持っているのだ。

言葉は発せられた瞬間に世界に作用する。ほとんど何も変わらないほど小さなものかも知れないけれど、それでもその言葉が世界に加わることで、世界から同じだけの力で反作用を受けている。世界のあちらこちらで放たれた言葉が、それぞれの場所で小さく作用し続けていれば、やがて作用は大きなうねりになって一歩ずつ世界を変えていく。

だから言葉の力は侮れない。言葉を疎かにはできない。

放っておけば棚板にうっすら溜まっている埃のように、どうやら僕の言葉もあちらこちらにぼんやりと散らばったままになっている。埃は拭き取れば消えて、また元のきれいな棚板が現れるけれども、散らばった言葉は消えて見えなくなったあともその場に留まり続ける。

そんな言葉たちを見えているうちに集めておくのがこの雑文集の目的で、それぞれの場所で作用していた言葉が一処に集まると、また別の作用が生まれるような気がしないでもない。

本当は、スリッパで患者の脳天を思い切り引っ叩いて、患者がクラクラしているうちに歯の治療をすればいいんじゃないかという、新しい麻酔の提案をここではするつもりだったのに、なぜかまるでちがうことを書いてしまった。

僕が世界に言葉を放とうとすると、予想以上に押し返してくる力が強いものだから、思っていたものとはちがう言葉に歪んでしまうのだ。でも、それでいい。

そうやって作用と反作用に翻弄されながら、僕たちはポツリポツリと小さな言葉を残していけば良いのだ。

ネコノスの本

浅生 鴨 著

雑文御免

これまで雑誌、ネットメディア、SNSなどの各所へ書いてきたエッセイ、ダジャレ、インチキ格言、短編小説、回文、エッセイ集『どこでもない場所』に収録できなかった掌編などを一処へ集めた著者初の無選別雑文集。

ISBN 978-4-9910614-0-0 C0195
A6文庫判 三八四P 定価 九〇〇円＋税

浅生 鴨 著

うっかり失敬

「文学フリマ」用に、これまで各所で書いてきたさまざまな小文を集めてまとめた雑文集。あまりの量に、第一弾の『雑文御免』だけでは全く収まりきらず、しかたなくの第二弾。エッセイ集『どこでもない場所』に収録できなかった掌編も掲載。

ISBN 978-4-9910614-1-7 C0195
A6文庫判 三八四P 定価 九〇〇円＋税

浅生鴨／今泉力哉／岡本真帆／小野美由紀／古賀史健／ゴトウマサフミ／高橋久美子／永田泰大／幡野広志／山本隆博 ほか

雨は五分後にやんで

浅生鴨による責任編集の下、『五分』という単語を作品中に使うこと」だけを条件に、各分野の書き手一九人が自由に書いた文芸アンソロジー集の文庫版。小説、エッセイ、漫画、イラスト、インタビュー、パズルなど、文芸同人誌の枠を超えた幅広いジャンルの作品を多数掲載。

ISBN 978-4-910710-00-6 C0195
A6文庫判 四〇八P 定価 一八〇〇円＋税

ネコノスの本

浅生 鴨 著

あざらしのひと

月刊誌「GINZA」（マガジンハウス）での連載コラム「ゆるゆるジャージ魂」を文庫化。日常生活の中で見かける、ちょっとおかしな行動をとる人たちを独自の視点でゆるく優しくとりあげた軽妙コラムに、新たな書き下ろしを加えてまとめた一冊。

ISBN 978-4-9910614-9-3 C0195
A6文庫判 一二八P 定価 九〇〇円＋税

市原 真
サンキュータツオ 著
牧野 曜

まちカドかがく

ポッドキャストの人気サイエンス・トーク番組『いんよう！』から生まれた伝説の同人誌を文庫化。牧野 曜、市原 真による小説やサンキュータツオによる「お笑い文体研究」など専門的な話題を興味のない人へ届ける『いんよう！』ならではの、ユニークな世界がぎっしり詰まった必読の一冊。

ISBN 978-4-9910614-6-2 C0195
A6文庫判 五四四P 定価 一七〇〇円＋税

幡野広志 著

ラブレター

写真家が妻と息子へ贈った四十八通の手紙

治らないがんを宣告された写真家が、日々の暮らしの中で思い、考え、伝えて続けているのは、「自分たち家族のありかたは、他の誰にも振り回されることなく、自分たちで決めよう」ということ。エッセイでもない、日記でもない。それは、妻と子へあてた四十八通のラブレター。

ISBN 978-4-910710-04-4 C0095
A5判変型 二四〇P 定価 二二〇〇円＋税

脳天（のうてん）にスリッパ

著者

浅生鴨（あそうかも）

二〇二三年　一月二十四日　初版一刷発行

発行人　大津山承子
発行所　ネコノス合同会社
郵便番号一五四―〇〇一一
東京都世田谷区上馬三―一四―一一
電話　〇三―六八〇四―六〇〇一
FAX　〇三―六八〇〇―二一五〇

印　刷　シナノ印刷株式会社
製　本　株式会社宮田製本所
制作進行　小笠原宏憲
校　正　斉藤里香
編集協力　茂木直子
装　画　浅生鴨

定価はカバーに記載しています。

落丁・乱丁本は小社までお送りください。
送料当社負担にてお取替えいたします。

in Tokyo, JAPAN

ISBN 978-4-910710-05-1　C0195